U0129349

# 滿文原檔
# 《滿文原檔》選讀譯注

## 太祖朝（十二）

### 莊 吉 發 譯注

滿 語 叢 刊

文史哲出版社印行

國家圖書館出版品預行編目資料

滿文原檔《滿文原檔》選讀譯注：太祖朝.
十二 / 莊吉發譯注. -- 初版. -- 臺北市：
文史哲出版社，民 112.01
　面：公分 --（滿語叢刊；51）
ISBN 978-986-314-628-5（平裝）

1.CST:滿語　2.CST:讀本

802.918　　　　　　　　　112000129

滿　語　叢　刊　　51

# 滿文原檔《滿文原檔》選讀譯注
## 太祖朝（十二）

譯 注 者：莊　　　吉　　　發
出 版 者：文　史　哲　出　版　社
　　　　　http://www.lapen.com.tw
　　　　　e-mail:lapen@ms74.hinet.net
登記證字號：行政院新聞局版臺業字五三三七號
發 行 人：彭　　　正　　　雄
發 行 所：文　史　哲　出　版　社
印 刷 者：文　史　哲　出　版　社
臺北市羅斯福路一段七十二巷四號
郵政劃撥帳號：一六一八○一七五
電話886-2-23511028・傳真886-2-23965656

**實價新臺幣七四○元**

二○二三年（民一一二）元月初版

# 滿文原檔

# 《滿文原檔》選讀譯注

## 太祖朝(十二)

# 目　　次

# 《滿文原檔》選讀譯注
# 導　讀

　　內閣大庫檔案是近世以來所發現的重要史料之一，其中又以清太祖、清太宗兩朝的《滿文原檔》以及重抄本《滿文老檔》最為珍貴。明神宗萬曆二十七年（1599）二月，清太祖努爾哈齊為了文移往來及記注政事的需要，即命巴克什額爾德尼等人以老蒙文字母為基礎，拼寫女真語音，創造了拼音系統的無圈點老滿文。清太宗天聰六年（1632）三月，巴克什達海奉命將無圈點老滿文在字旁加置圈點，形成了加圈點新滿文。清朝入關後，這些檔案由盛京移存北京內閣大庫。乾隆六年（1741），清高宗鑒於內閣大庫所貯無圈點檔冊，所載字畫，與乾隆年間通行的新滿文不相同，諭令大學士鄂爾泰等人按照通行的新滿文，編纂《無圈點字書》，書首附有鄂爾泰等人奏摺[1]。因無圈點檔年久斀舊，所以鄂爾泰等人奏請逐頁托裱裝訂。鄂爾泰等人遵旨編纂的無圈點十二字頭，就是所謂的《無圈點字書》，

---

[1] 張玉全撰，〈述滿文老檔〉，《文獻論叢》（臺北，臺聯國風出版社，民國五十六年十月），論述二，頁 207。

但以字頭釐正字蹟，未免逐卷翻閱，且無圈點老檔僅止一分，日久或致擦損，乾隆四十年（1775）二月，軍機大臣奏准依照通行新滿文另行音出一分，同原本貯藏[2]。乾隆四十三年（1778）十月，完成繕寫的工作，貯藏於北京大內，即所謂內閣大庫藏本《滿文老檔》。乾隆四十五年（1780），又按無圈點老滿文及加圈點新滿文各抄一分，齎送盛京崇謨閣貯藏[3]。自從乾隆年間整理無圈點老檔，托裱裝訂，重抄貯藏後，《滿文原檔》便始終貯藏於內閣大庫。

近世以來首先發現的是盛京崇謨閣藏本，清德宗光緒三十一年（1905），日本學者內藤虎次郎訪問瀋陽時，見到崇謨閣貯藏的無圈點老檔和加圈點老檔重抄本。宣統三年（1911），內藤虎次郎用曬藍的方法，將崇謨閣老檔複印一套，稱這批檔冊為《滿文老檔》。民國七年（1918），金梁節譯崇謨閣老檔部分史事，刊印《滿洲老檔祕錄》，簡稱《滿洲祕檔》。民國二十年（1931）三月以後，北平故宮博物院文獻館整理內閣大庫，先後發現老檔三十七冊，原按千字文編號。民國二十四年（1935），又發現三冊，均未裝裱，當為乾隆年間托裱時所未見者。文獻館前後所發現的四十冊老檔，於文物南遷時，俱疏遷於後方，

---

2 《清高宗純皇帝實錄》，卷 976，頁 28。乾隆四十年二月庚寅，據軍機大臣奏。
3 《軍機處檔・月摺包》（臺北，國立故宮博物院），第 2705 箱，118 包，26512 號，乾隆四十五年二月初十日，福康安奏摺錄副。

臺北國立故宮博物院現藏者，即此四十冊老檔。昭和三十三年（1958）、三十八年（1963），日本東洋文庫譯注出版清太祖、太宗兩朝老檔，題為《滿文老檔》，共七冊。民國五十八年（1969），國立故宮博物院影印出版老檔，精裝十冊，題為《舊滿洲檔》。民國五十九年（1970）三月，廣祿、李學智譯注出版老檔，題為《清太祖老滿文原檔》。昭和四十七年（1972），東洋文庫清史研究室譯注出版天聰九年分原檔，題為《舊滿洲檔》，共二冊。一九七四年至一九七七年間，遼寧大學歷史系李林教授利用一九五九年中央民族大學王鍾翰教授羅馬字母轉寫的崇謨閣藏本《加圈點老檔》，參考金梁漢譯本、日譯本《滿文老檔》，繙譯太祖朝部分，冠以《重譯滿文老檔》，分訂三冊，由遼寧大學歷史系相繼刊印。一九七九年十二月，遼寧大學歷史系李林教授據日譯本《舊滿洲檔》天聰九年分二冊，譯出漢文，題為《滿文舊檔》。關嘉祿、佟永功、關照宏三位元先生根據東洋文庫刊印天聰九年分《舊滿洲檔》的羅馬字母轉寫譯漢，於一九八七年由天津古籍出版社出版，題為《天聰九年檔》。一九八八年十月，中央民族大學季永海教授譯注出版崇德三年（1638）分老檔，題為《崇德三年檔》。一九九〇年三月，北京中華書局出版老檔譯漢本，題為《滿文老檔》，共二冊。民國九十五年（2006）一月，國立故宮博物院為彌補《舊滿洲檔》製作出版過程中出現的失真問題，重新出版原檔，分訂十巨冊，印刷精緻，裝幀典雅，為凸顯檔冊的原始性，反映初創滿文字體的特色，並避免與《滿文老檔》重抄本的混淆，正名為《滿文原檔》。

二〇〇九年十二月，北京中國第一歷史檔案館整理編譯《內閣藏本滿文老檔》，由瀋陽遼寧民族出版社出版。吳元豐先生於「前言」中指出，此次編譯出版的版本，是選用北京中國第一歷史檔案館保存的乾隆年間重抄並藏於內閣的《加圈點檔》，共計二十六函一八〇冊。採用滿文原文、羅馬字母轉寫及漢文譯文合集的編輯體例，在保持原分編函冊的特點和聯繫的前提下，按一定厚度重新分冊，以滿文原文、羅馬字母轉寫、漢文譯文為序排列，合編成二十冊，其中第一冊至第十六冊為滿文原文、第十七冊至十八冊為羅馬字母轉寫，第十九冊至二十冊為漢文譯文。為了存真起見，滿文原文部分逐頁掃描，仿真製版，按原本顏色，以紅黃黑三色套印，也最大限度保持原版特徵。據統計，內閣所藏《加圈點老檔》簽注共有 410 條，其中太祖朝 236 條，太宗朝 174 條，俱逐條繙譯出版。為體現選用版本的庋藏處所，即內閣大庫；為考慮選用漢文譯文先前出版所取之名，即《滿文老檔》；為考慮到清代公文檔案中比較專門使用之名，即老檔；為體現書寫之文字，即滿文，最終取漢文名為《內閣藏本滿文老檔》，滿文名為 "dorgi yamun asaraha manju hergen i fe dangse"。《內閣藏本滿文老檔》雖非最原始的檔案，但與清代官修史籍相比，也屬第一手資料，具有十分珍貴的歷史研究價值。
同時，《內閣藏本滿文老檔》作為乾隆年間《滿文老檔》
諸多抄本內首部內府精寫本，而且有其他抄本沒有的簽
注。《內閣藏本滿文老檔》首次以滿文、羅馬字母轉寫和
漢文譯文合集方式出版，確實對清朝開國史、民族史、東
北地方史、滿學、八旗制度、滿文古籍版本等領域的研究，
提供比較原始的、系統的、基礎的第一手資料，其次也有
助於準確解讀用老滿文書寫《滿文老檔》原本，以及深入
系統地研究滿文的創制與改革、滿語的發展變化[4]。

　　臺北國立故宮博物院重新出版的《滿文原檔》是《內
閣藏本滿文老檔》的原本，海峽兩岸將原本及其抄本整理
出版，確實是史學界的盛事，《滿文原檔》與《內閣藏本
滿文老檔》是同源史料，有其共同性，亦有其差異性，都
是探討清朝前史的珍貴史料。為詮釋《滿文原檔》文字，
可將《滿文原檔》與《內閣藏本滿文老檔》全文併列，無
圈點滿文與加圈點滿文合璧整理出版，對辨識費解舊體滿
文，頗有裨益，也是推動滿學研究不可忽視的基礎工作。

　　以上節錄：滿文原檔：《滿文原檔》選讀譯注
導讀 ── 太祖朝（一）全文 3-38 頁。

---

4 《內閣藏本滿文老檔》（瀋陽，遼寧民族出版社，2009 年 12 月），
第一冊，前言，頁 10。

# 一、訓諭主將

orin ninggun de, nimacan iogi juwe tanggū cooha be ligiya
de gaifi tembi, šumuru juwe tanggū cooha be tamisi de gaifi
tembi, ušitai juwe tanggū cooha be looli de gaifi tembi,
kūbai juwe tanggū cooha be jakūmu de

---

二十六日，尼瑪禪遊擊率兵二百名駐李家，舒木魯率兵駐
塔米西，烏什泰率兵二百名駐勞利，庫拜率兵二百名駐札
庫穆，

---

二十六日，尼玛禅游击率兵二百名驻李家，舒木鲁率兵驻
塔米西，乌什泰率兵二百名驻劳利，库拜率兵二百名驻札
库穆，

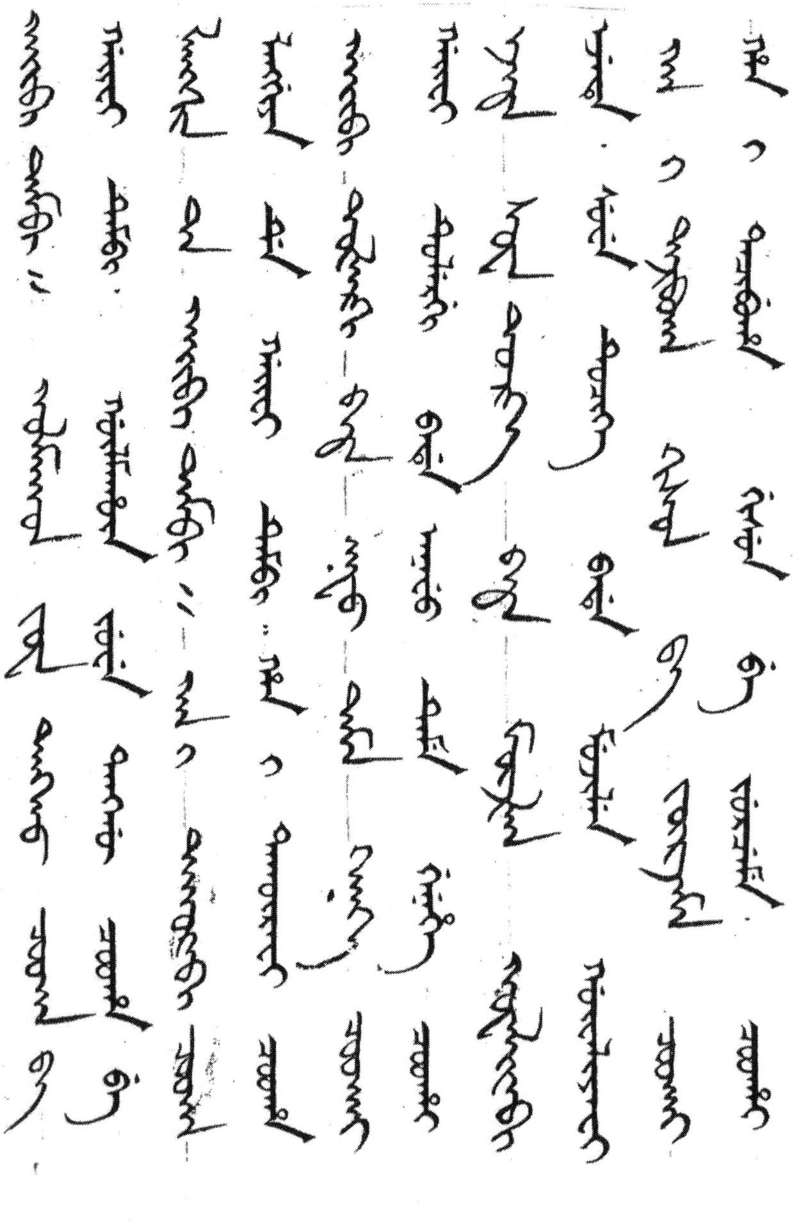

gaifi tembi, gūlmahūn juwe tanggū cooha be langgiya de gaifi tembi. han i takūrafi cooha gaifi tulergi bade anafu teme genehe coohai ejete, suwe tucike bade mujilen gūwaliyafi han i tacibuha gisun be jurceme, coohai

---

古勒瑪琿率兵二百名駐郎家。「奉汗差遣率兵前往外地戍守之軍中主將，爾等為何出師後即變心，違悖汗之訓諭，

---

古勒玛珲率兵二百名驻郎家。「奉汗差遣率兵前往外地戍守之军中主将，尔等为何出师后即变心，违悖汗之训谕，

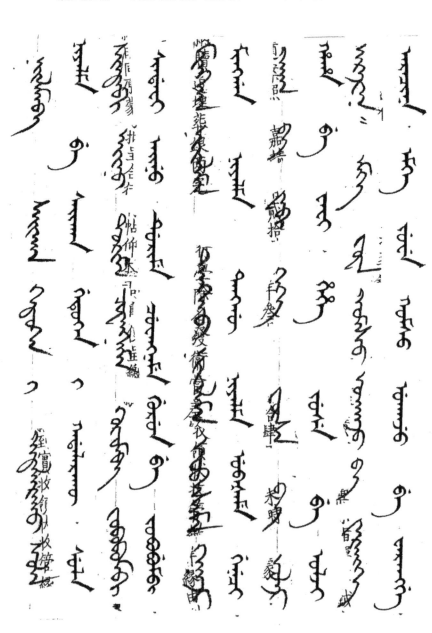

niyalma be saikan getuken i kadalarakū, sula sindafi ainu durime cuwangname gurun be jobobumbi. minggan niyalma tanggū niyalma ubašame geneci, haha be wafi, hehe juse be olji aracina. emke juwe komso ukanju be warangge,

不善加明白管束兵丁，為何疏縱搶奪，擾害國人？若有千人、百人叛逃，則殺其男丁，婦孺充俘。殺一、二少數逃人者，

不善加明白管束兵丁，为何疏纵抢夺，扰害国人？若有千人、百人叛逃，则杀其男丁，妇孺充俘。杀一、二少数逃人者，

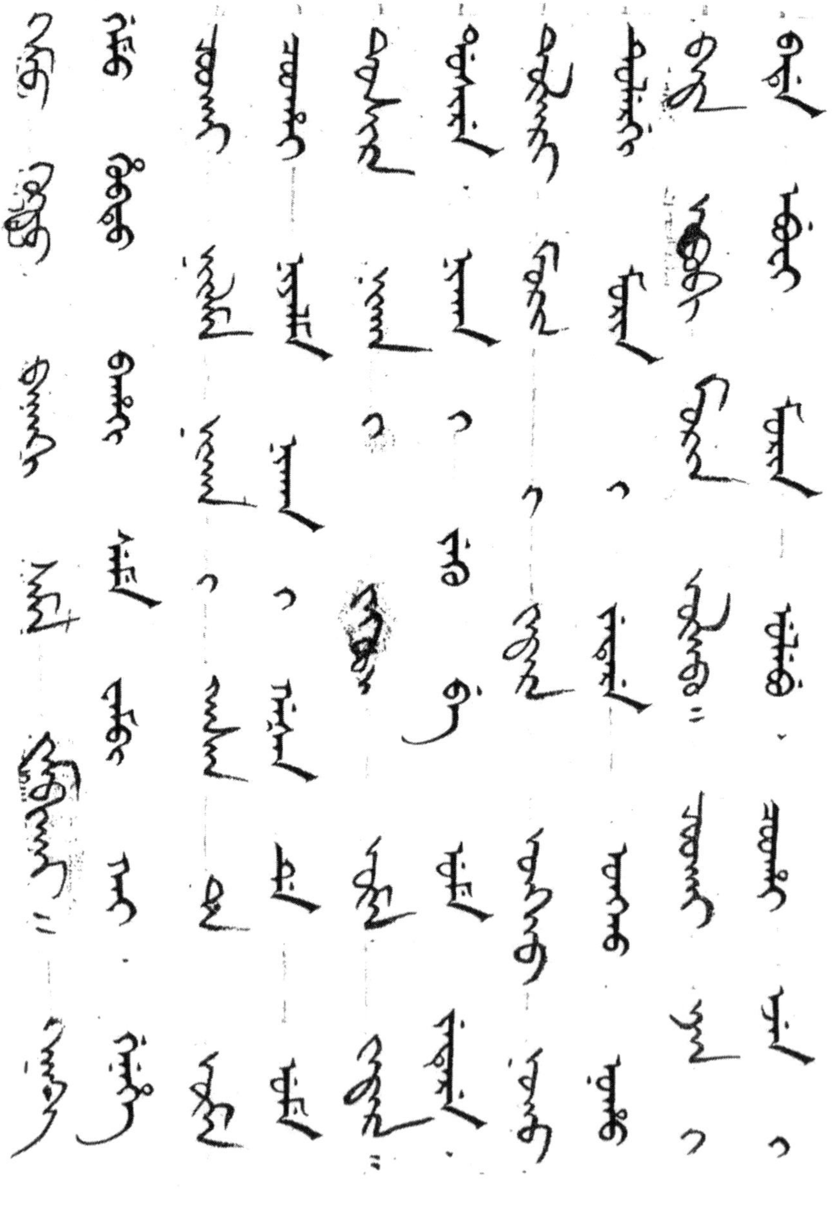

gemu hubtu bahaki seme wambi kai. genehe coohai niyalma
nikan i gašan de ume dosire, nikan i jeku be ume jetere,
tulergi morin i jetere ongko noho bade ebufi, morin ulebu.
coohai ejen i

皆欲獲得棉袍[5]而殺之也。前往之兵丁，勿入漢人莊屯，
勿食漢人之糧，宜擇屯外有水草之地歇宿秣馬。軍中主將

皆欲获得棉袍而杀之也。前往之兵丁，勿入汉人庄屯，勿
食汉人之粮，宜择屯外有水草之地歇宿秣马。军中主将

[5] 棉袍，《滿文原檔》寫作 "kukto"，係蒙文"kügdü"借詞，意即「厚
棉褲」；《滿文老檔》讀作 "hubtu"，意即「棉袍」。

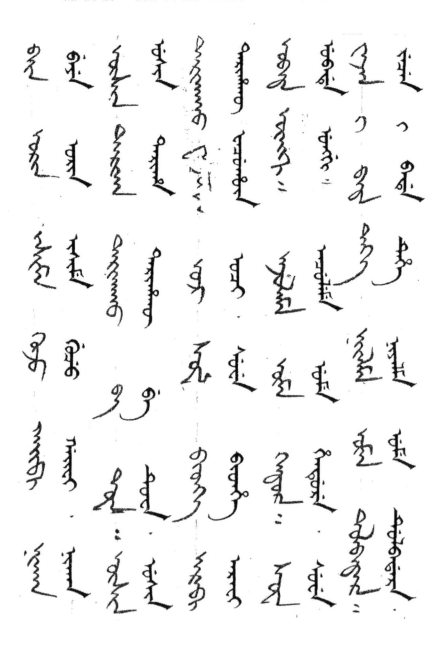

beye orin isime gucu gaifi, nikan usin tariha tarihakū be tuwa, usin tarihakū facuhūn oci, suwe bithe arafi ubade unggi, enculeme ume hendure. suwe jecen i bade tehe niyalma ume dulbadara,

---

親率僚友將近二十人，視察漢人之田地耕種否，若未耕種而作亂，爾等即具文致送此地，其他勿言。爾等駐守邊境地方之人，切勿疏忽大意，

---

亲率僚友将近二十人，视察汉人之田地耕种否，若未耕种而作乱，尔等即具文致送此地，其它勿言。尔等驻守边境地方之人，切勿疏忽大意，

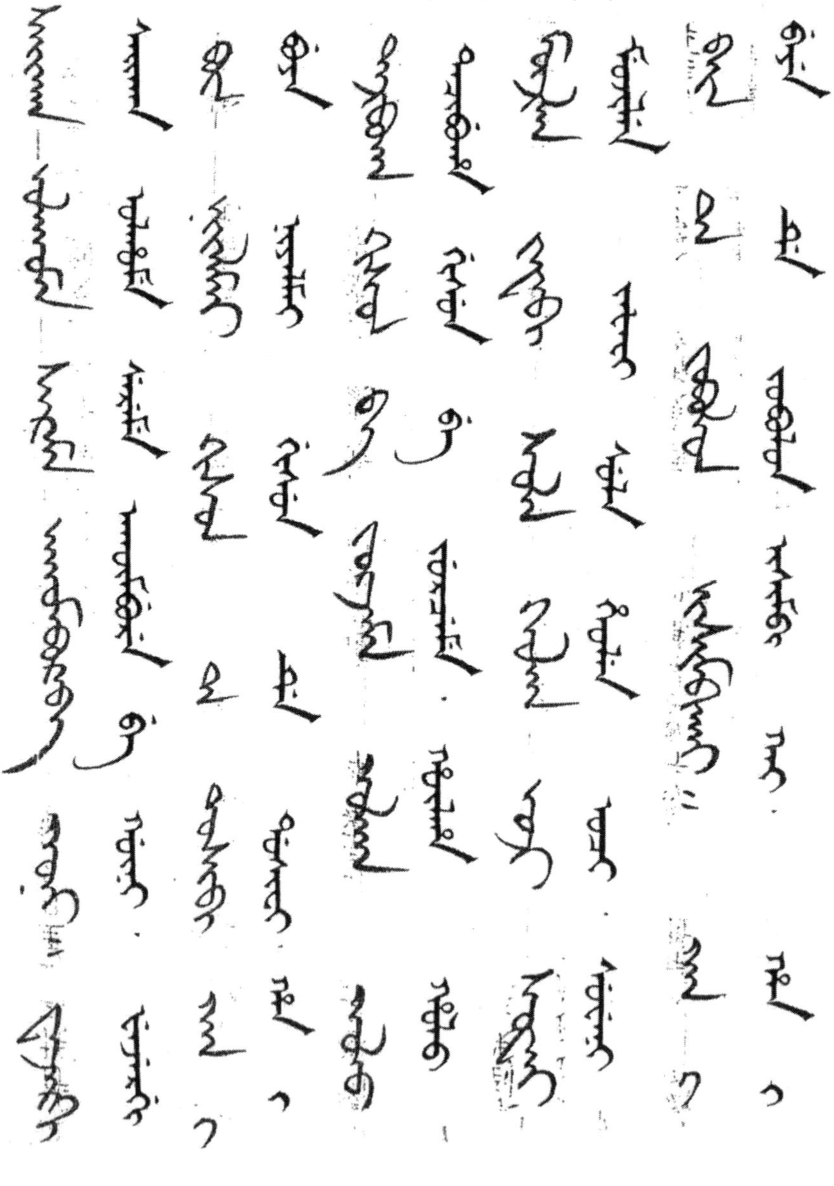

saikan olhome sereme akūmbure be gūni. fejergi buya niyalmai gisun de dosifi, han i tacibuha gisun be jurceme, hūlha holo mujilen jafafi sula heolen oci, suweni beye de jobolon isimbi kai. han i

---

當妥善謹慎警覺盡心防守。若聽信下麵小人之言，違悖汗之訓諭，存賊盜之心，疏忽怠惰，則爾等之身必招禍患也。

---

当妥善谨慎警觉尽心防守。若听信下面小人之言，违悖汗之训谕，存贼盗之心，疏忽怠惰，则尔等之身必招祸患也。

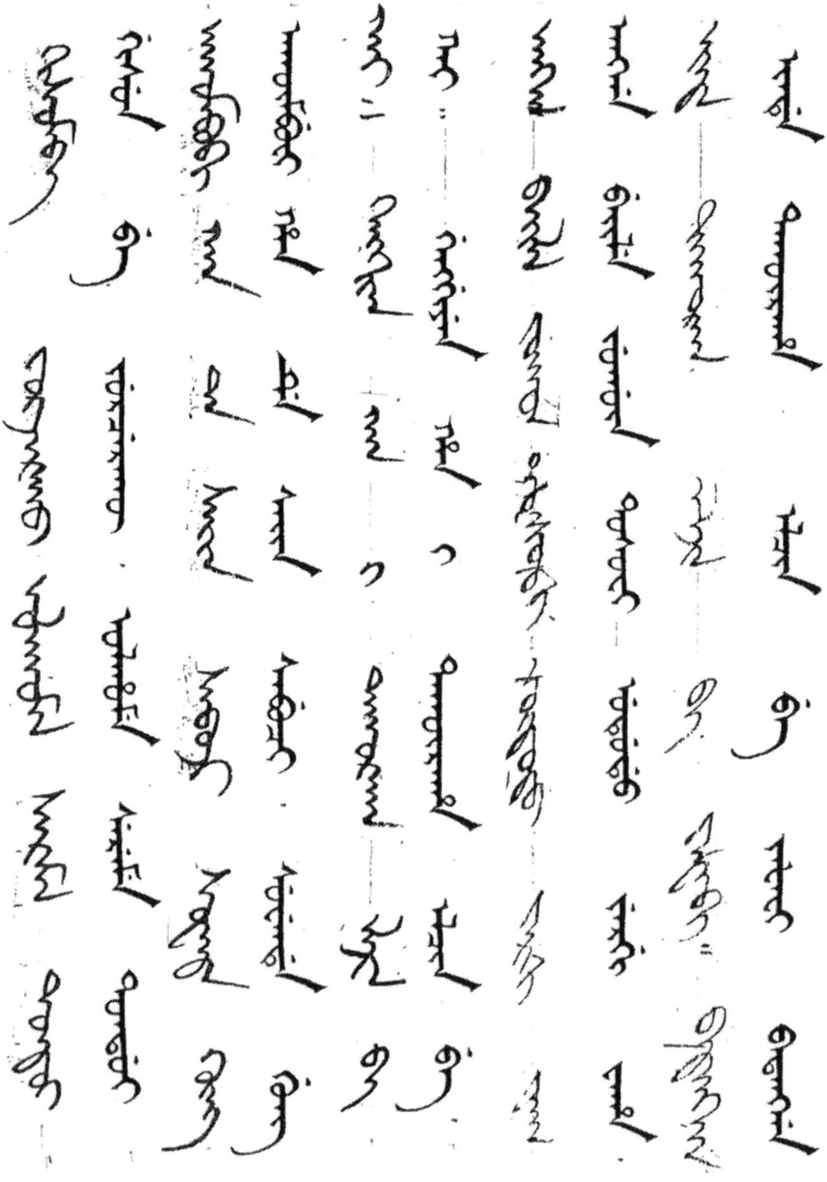

gisun be jurcerakū, olhome sereme tondoi akūmbufi, han de
sain sabuci, suwende gung kai. genggiyan han i takūraha
elcin be, angga beile jugūn tosofi ududu jergi waha, inde
takūraha elcin be jafafi batangga

不違悖汗之訓諭，謹慎警覺盡忠圖報，若見善於汗，則必
記爾等之功也。」英明汗所遣之使臣，屢次被昂阿貝勒攔
殺於途，並執使臣遣往彼處，

不违悖汗之训谕，谨慎警觉尽忠图报，若见善于汗，则必
记尔等之功也。」英明汗所遣之使臣，屡次被昂阿贝勒拦
杀于途，并执使臣遣往彼处，

# 二、攔殺使臣

yehe de bufi waha. tede korsofi abatai age, degelei, jaisanggū, yoto, duin beile de jušen i cooha emu minggan, monggoi cooha emu minggan, poo jafaha nikan i cooha jakūn tanggū, duin biyai juwan

---

給為敵之葉赫殺之。如今為解此恨，遂命阿巴泰阿哥、德格類、齋桑古、岳托、四貝勒率諸申兵一千名、蒙古兵一千名、操礮漢兵八百名，於四月

---

给为敌之叶赫杀之。如今为解此恨，遂命阿巴泰阿哥、德格类、斋桑古、岳托、四贝勒率诸申兵一千名、蒙古兵一千名、操炮汉兵八百名，于四月

duin de genefi, orin emu i dobori dulifi, orin juwe i cimari
tasha erinde loo gebungge babe dulefi, liyoha birai dogon be
doofi, tereci cooha sindafi feksire de, neneme sonjome
tucibuhe susai

---

十四日前往征討之。二十一日連夜疾馳[6]，二十二日晨寅
時經過名叫澇地方，渡過遼河渡口。由此縱兵疾馳，主將
戴木布總兵官先率精兵

---

十四日前往征讨之。二十一日连夜疾驰，二十二日晨寅时
经过名叫澇地方，渡过辽河渡口。由此纵兵疾驰，主将戴
木布总兵官先率精兵

---

[6] 連夜疾馳，《滿文原檔》寫作 "tobori tolibi"，《滿文老檔》讀作"dobori
dulifi"，意即「連夜」；滿漢文義不全，規範滿文讀作"dobori dulime
hocihiyame yabumbi"。

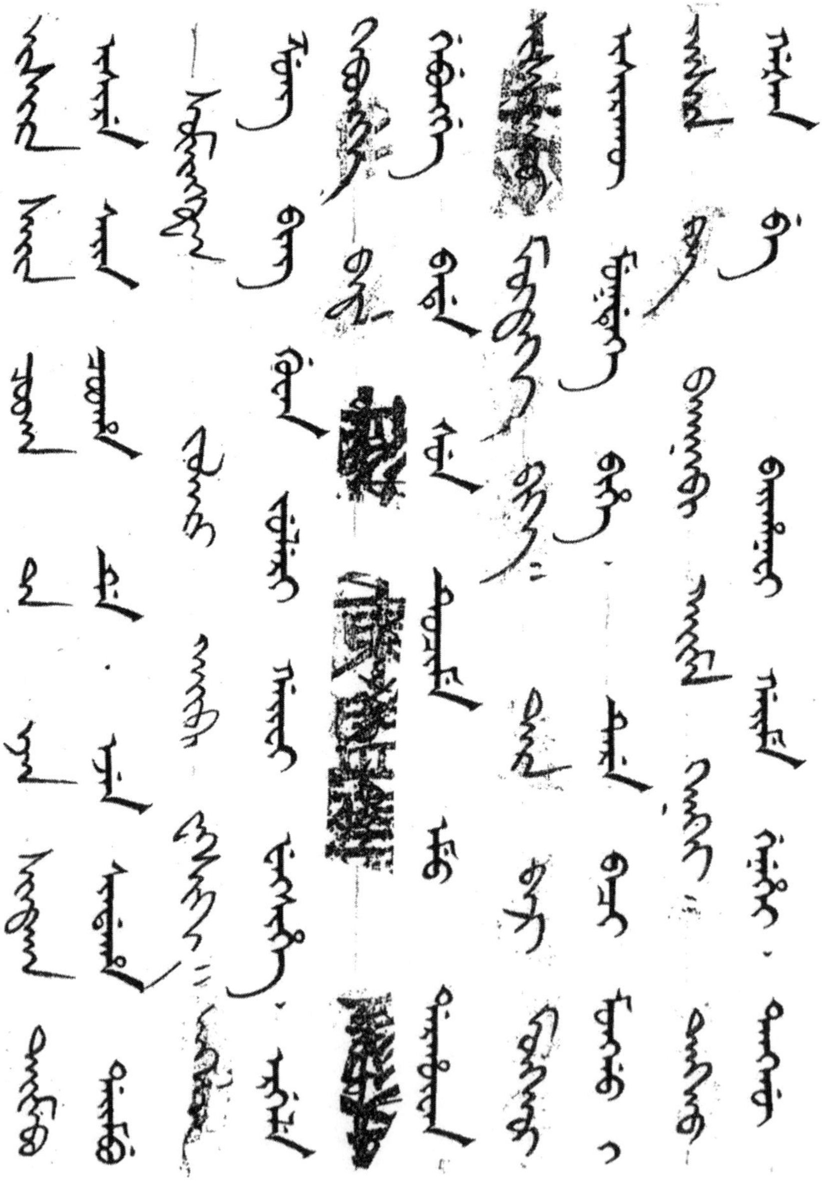

isire sain cooha de, ejen sindaha daimbu dzung bing guwan
juleri gaifi feksihe, ergele gebungge bade šun tucime emu
darhūwan isirakū mukdeke bihe, tere baci monggo i gašan be
baihanafi gaime genehei, tanggū

將近五十名在前疾馳；至名叫額爾格勒地方時，日出高不
及一竿，即由彼處前往尋覓[7]蒙古屯略地而行。

將近五十名在前疾馳；至名叫额尔格勒地方时，日出高不
及一竿，即由彼处前往寻觅蒙古屯略地而行。

<hr />

[7] 尋覓，《滿文原檔》寫作 "bakanabi"，讀作 "bahanafi"，意即「會、
知曉」，訛誤；《滿文老檔》讀作 "baihanafi"，改正。

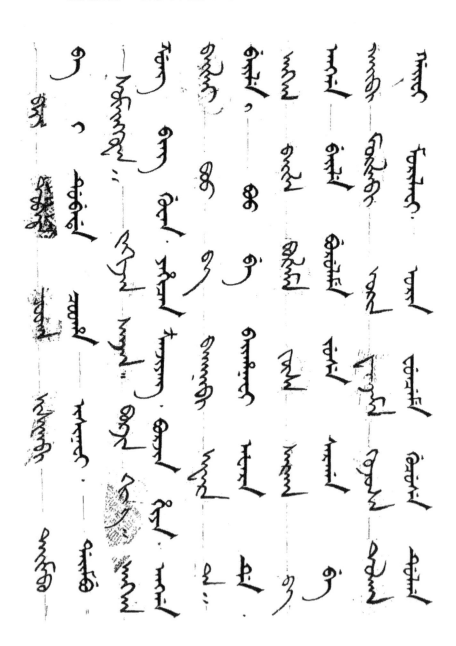

ba i dubede cooha isinafi, daimbu dzung bing guwan, yahican ts'anjiyang, borjin hiya, angga beile i boo be baihanafi afara de, angga beile burulame juse sargan be gaifi morilafi, orin funceme gucuse dulga

我兵至百裏外，戴木布總兵官、雅希禪參將、博爾晉侍衛尋得昂阿貝勒之家而攻之。昂阿貝勒敗逃，攜妻孥乘馬、僚友二十餘人，

我兵至百里外，戴木布总兵官、雅希禅参将、博尔晋侍卫寻得昂阿贝勒之家而攻之。昂阿贝勒败逃，携妻孥乘马、僚友二十余人，

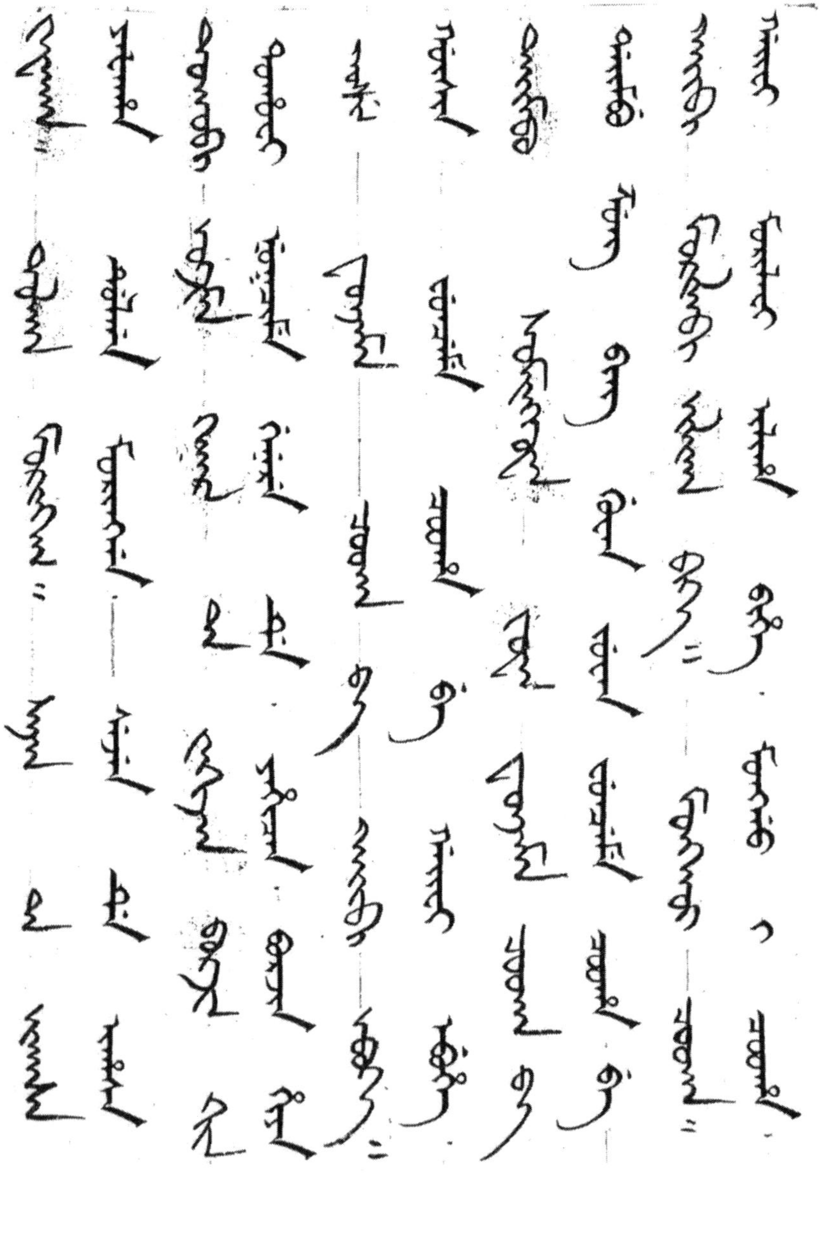

yafahan dulga moringga, sejen de ihasa tohofi nukcime genere de, yahican, borjin hiya gūsin funceme cooha be gaifi ebuhe, daimbu dzung bing guwan juwan funceme cooha be gaifi morilafi iliha bihe. monggo i cooha,

一半步行，一半乘馬，駕牛車敗走。雅希禪、博爾晉侍衛率兵三十餘名下馬，戴木布總兵官率兵十餘名勒馬而立。蒙古之兵

一半步行，一半乘马，驾牛车败走。雅希禅、博尔晋侍卫率兵三十余名下马，戴木布总兵官率兵十余名勒马而立。蒙古之兵

ebuhe yafahan cooha be waliyafi, morilaha daimbu dzung bing guwan de afanafi, fondolome afame mutehekū ofi amasi bederere de, daimbu dzung bing guwan geren ci julesi bata i baru emhun gabtara be, emu monggo gidalafi angga

---

棄下馬之步兵，往攻乘馬之戴木布總兵官，因未能衝出而退回。戴木布總兵官隻身出陣發矢射敵，時有一蒙古以槍刺中其口，

---

弃下马之步兵，往攻乘马之戴木布总兵官，因未能冲出而退回。戴木布总兵官只身出阵发矢射敌，时有一蒙古以枪刺中其口，

# 三、駐地銜接

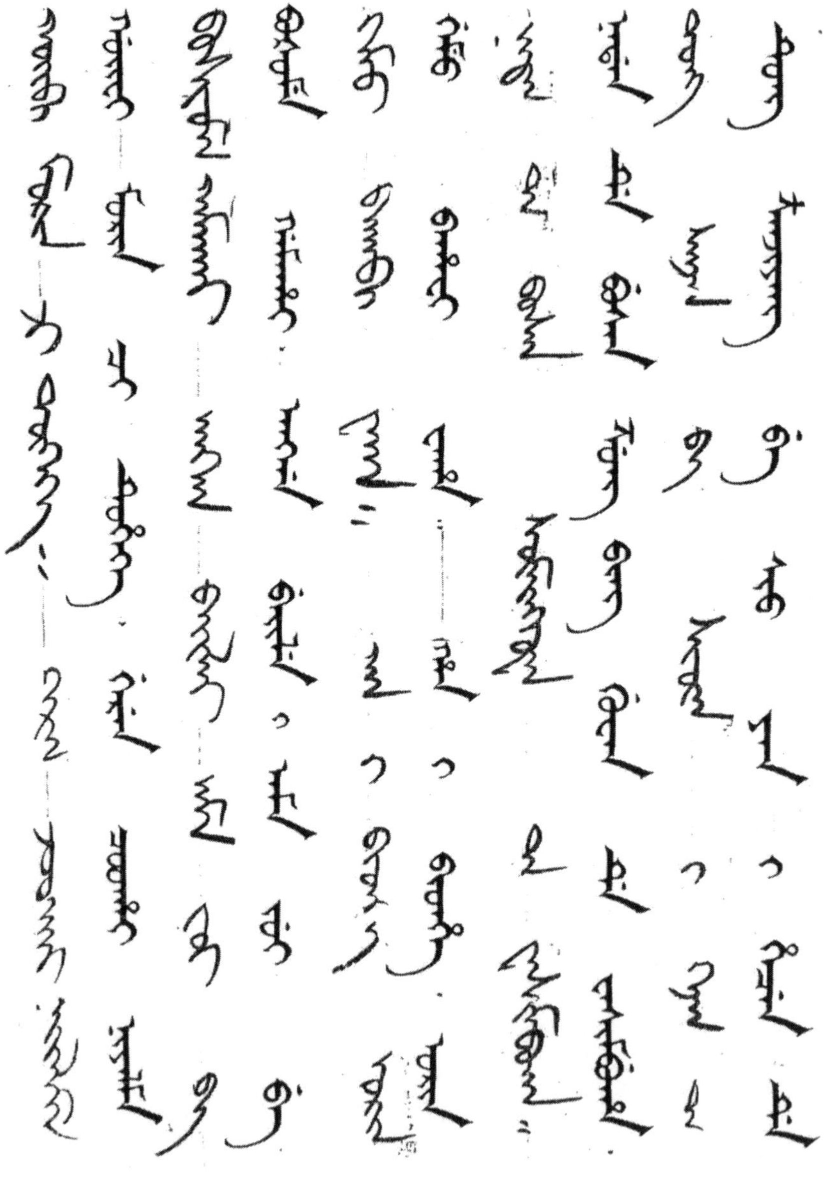

goifi morin ci tuheke. geren coohai niyalma bošome gamahai, angga beile i ama jui be gemu bahafi waha. han i bithe, orin nadan de busan dzung bing guwan de wasimbuha, tung ts'anjiyang be sio yan i hecen de

---

墜落馬下。眾兵丁進擊追拏，俱獲昂阿貝勒父子，皆殺之。二十七日，汗頒書諭布三總兵官曰：「著佟參將返回岫巖城，

---

坠落马下。众兵丁进击追拏，俱获昂阿贝勒父子，皆杀之。二十七日，汗颁书谕布三总兵官曰：「着佟参将返回岫岩城，

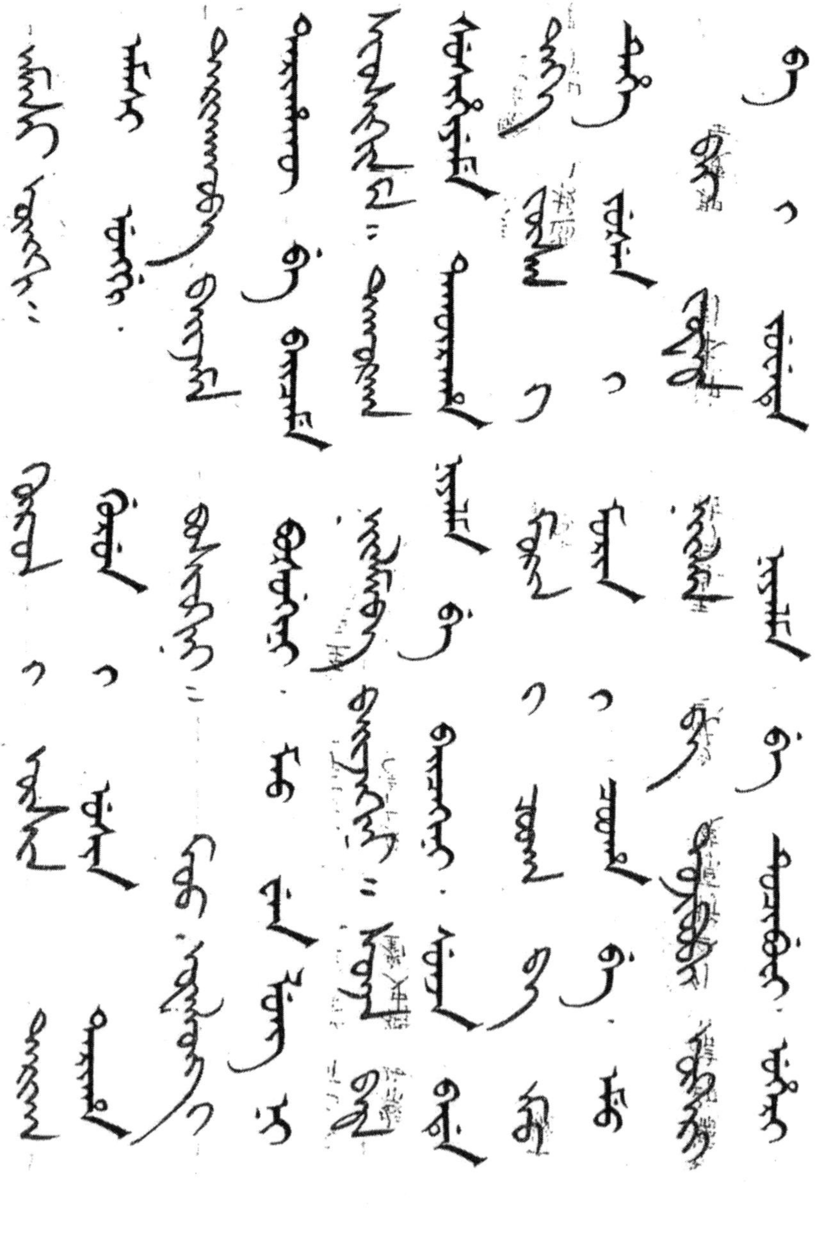

amasi unggi, gurun i usin tariha tarihakū be baicame bošokini. mao wen lung ni šusihiyeme takūraha niyalma be baicakini. sunja bade tehe jušen i morin i cooha be, emu ba i juwete niyalma be tucibufi, uheri

督察國人是否耕田，並詳查毛文龍所遣挑唆之人。著駐五處諸申馬兵，每處派出各二人，

督察国人是否耕田，并详查毛文龙所遣挑唆之人。着驻五处诸申马兵，每处派出各二人，

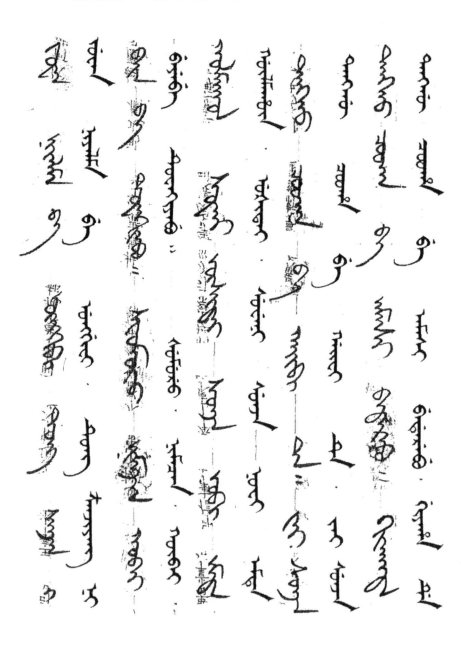

juwan niyalma be unggifi, tung ts'anjiyang ni beyebe
tuwakiyabu. šumuru, nimacan, kūbai, gūlmahūn, ušitai
suweni sunja nofi emte tanggū cooha be gaifi te, jai sunja
tanggū cooha be amasi bederebu. giyaha de

共十人，以護衛佟參將之身。」「舒木路、尼瑪禪、庫拜、
古勒瑪琿、烏什泰，著爾等五人各率兵百名駐守，其餘兵
五百名撤回。

共十人，以护卫佟参将之身。」「舒木路、尼玛禅、库拜、
古勒玛珲、乌什泰，着尔等五人各率兵百名驻守，其余兵
五百名撤回。

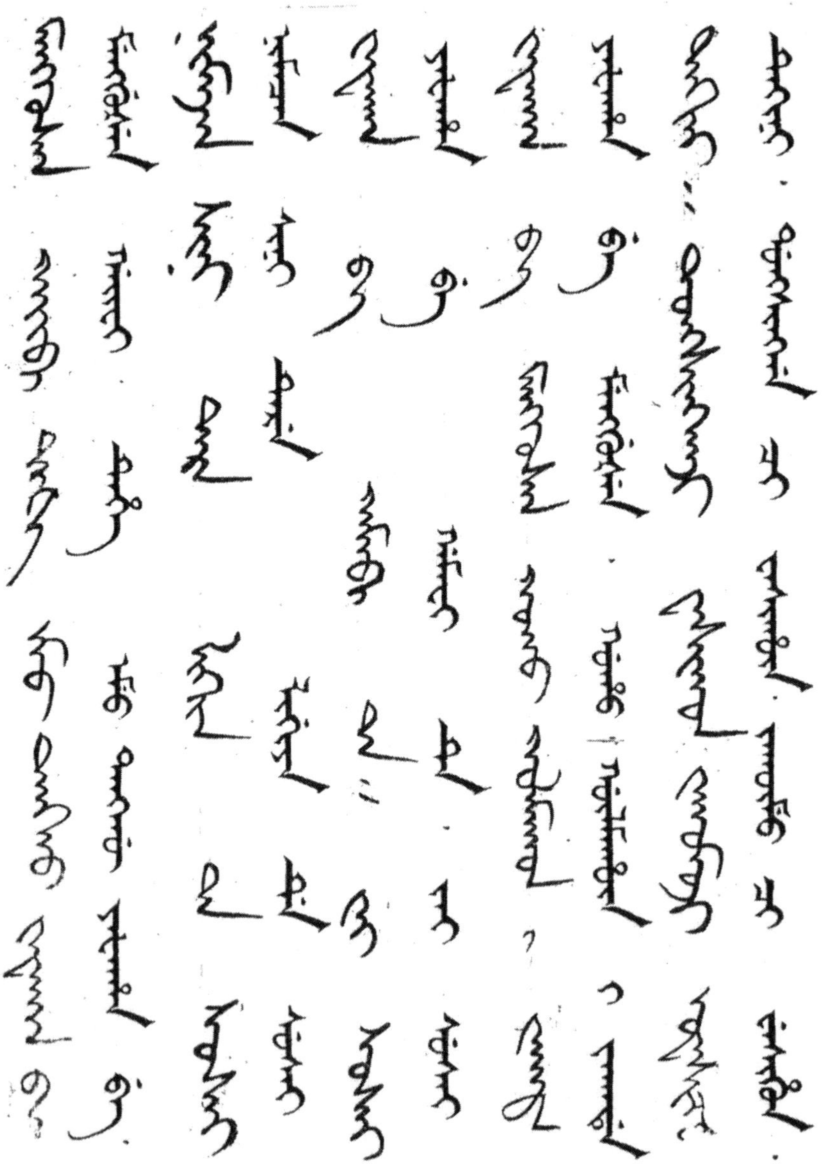

menggušen gaifi tehe emu tanggū yafahan be, nimacan sini
tere ligiya de susai yafahan be gamafi te, jai susai yafahan be
menggušen, goho, gūlmahūn i jakade tekini. dongsingga ci
wasihūn jakūmu ci wesihun,

---

孟古紳所率駐嘉哈之步兵一百名，由尼瑪禪爾率步兵五十
名駐李家，其步兵五十名由孟古紳率領駐於郭豁、古勒瑪
琿處。自棟興阿以西、札庫穆以東，

---

孟古绅所率驻嘉哈之步兵一百名，由尼玛禅尔率步兵五十
名驻李家，其步兵五十名由孟古绅率领驻于郭豁、古勒玛
珲处。自栋兴阿以西、札库穆以东，

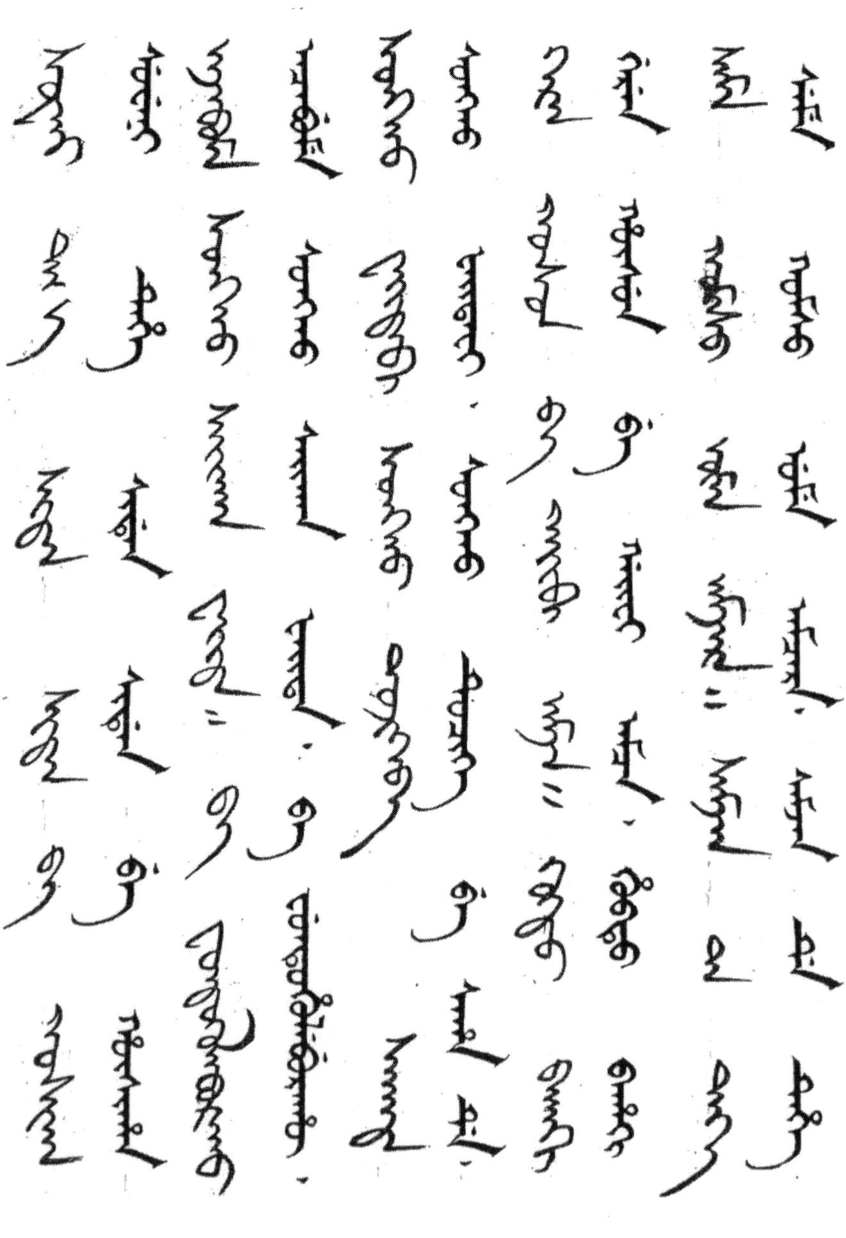

suweni tehe siden siden be hūsihan acabume songko saikan faita, ba funtuhuleburahū. songko faitafi, songko tucike be saha de, geren hūsun be gaifi amca, hubtu bahaki seme komso ume amcara, samjan de tehe

---

著爾等將各駐地之間銜接，妥為尋蹤，恐有空隙。尋蹤時，見有蹤跡，即率眾追逐。勿因欲得棉袍，以少數人追之。因駐薩木站之

---

着尔等将各驻地之间衔接，妥为寻踪，恐有空隙。寻踪时，见有踪迹，即率众追逐。勿因欲得棉袍，以少数人追之。因驻萨木站之

yafahan, songko faitafî ukaka be safi, geren de alanjihakū amcaha seme langjuhū be jafame ganahabi. baduri dzung bing guwan jakūn gūsai jakūn iogi, jakūnju poo, emu minggan cooha be gamame, amargi

---

步兵尋蹤時見有逃人，未來告知眾人，私自追逐，而執拿郎珠虎。」巴都里總兵官率八旗遊擊八員、兵一千名，攜礮八十尊，

---

步兵寻踪时见有逃人，未来告知众人，私自追逐，而执拿郎珠虎。」巴都里总兵官率八旗游击八员、兵一千名，携炮八十尊，

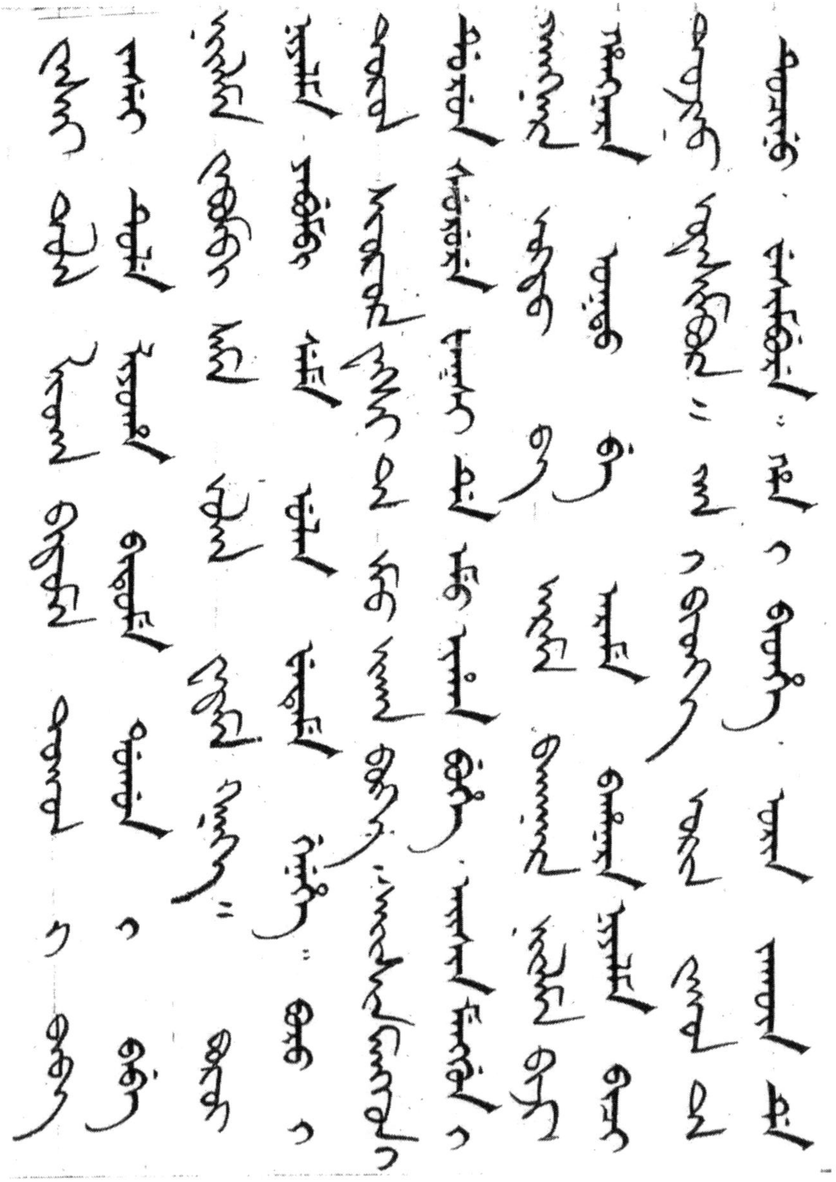

jasei tule liyoha bitume dogon i babe niyalma yabumbi seme
ulan feteme genehe. boro i durun šurure faksi de emu ihan
buhe. aisin menggun i hangnara okto be arame bahanara
niyalma bici tucinu, wesimbure. han i bithe, orin jakūn de

前往北界外沿遼河渡口處掘壕，以防行人往來。賜鏇涼帽
模子之工匠牛一頭。「若有會製金銀焊藥之人，即行查出
入奏。」二十八日，汗頒書諭

前往北界外沿辽河渡口处掘壕，以防行人往来。赐旋涼帽
模子之工匠牛一头。「若有会制金银焊药之人，即行查出
入奏。」二十八日，汗颁书谕

# 四、開倉放糧

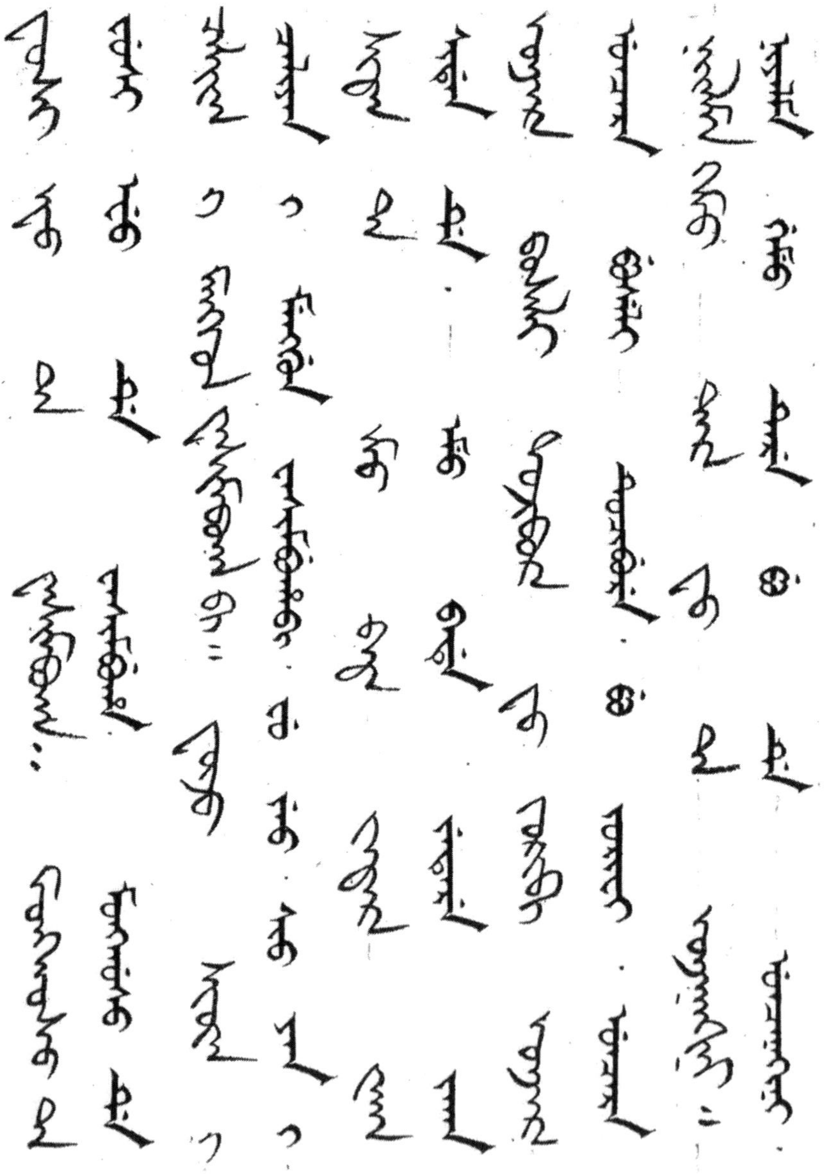

fusi efu de wasimbuha, monggoso de caliyan i menggun wasimbuhabi, fu jeo, sio yan i siden de emu bade jetere jaka uncara puseli tucibure, pu jorifi, uncara niyalma gemu tere pu de uncanakini.

---

撫順額駙曰：「已賞眾蒙古錢糧銀，著於復州、岫巖之間某一處設售賣食物之店鋪，凡指定堡售賣之人，皆於該堡售賣。

---

抚顺额驸曰：「已赏众蒙古钱粮银，着于复州、岫岩之间某一处设售卖食物之店铺，凡指定堡售卖之人，皆于该堡售卖。

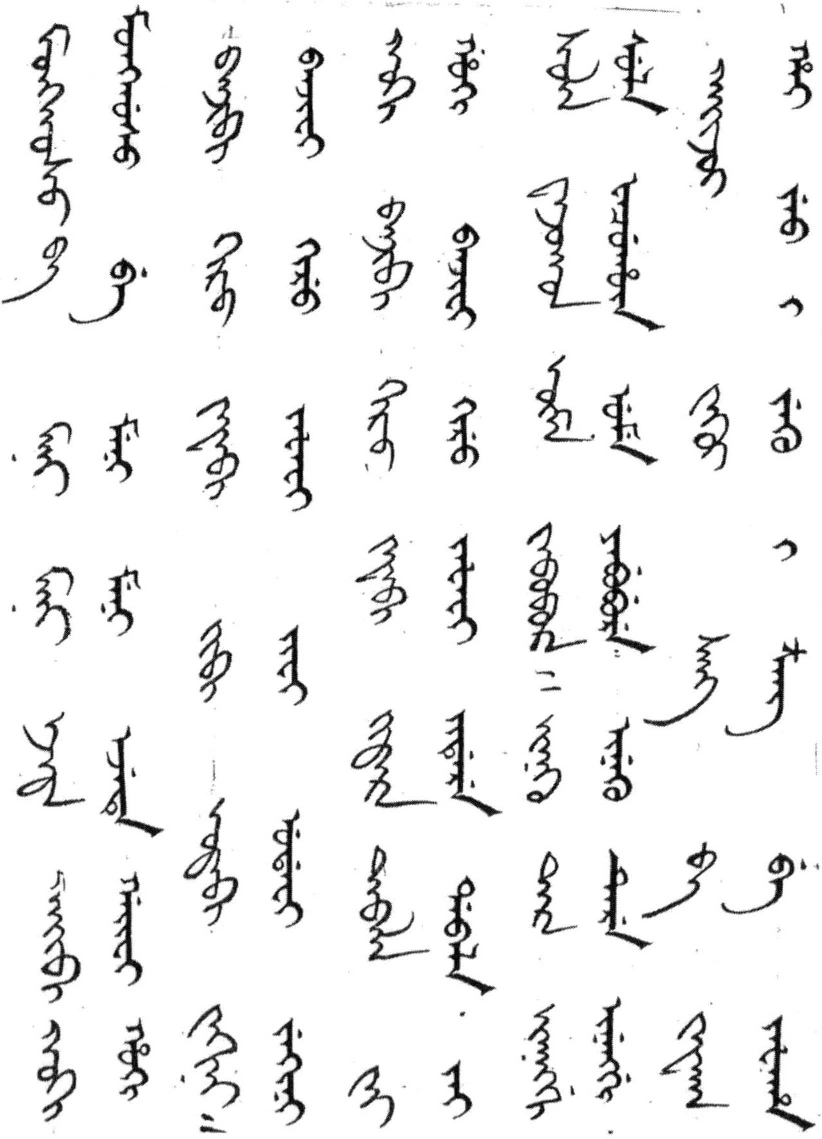

monggoso be meni meni ejete gaifi hoki banjifi kiru jafafi jifi udafi jekini. hoki banjifi kiru jafafi jidere dabala, jai sula facuhūn ume yabubure. ineku tere inenggi, hai jeo i jeku i ts'ang be jafaha

---

眾蒙古可由各該頭目帶領，編隊執旗前來購食。只許編隊執旗前來而已，再也不准鬆散放任。」是日，因掌管海州糧倉之

---

众蒙古可由各该头目带领，编队执旗前来购食。只许编队执旗前来而已，再也不准松散放任。」是日，因掌管海州粮仓之

monggan nirui sirai baksi, monggo de jeku bume genehe amala, ts'ang ni anakū be boode sindafi genehebi, sirai booi aha anakū be hūlhafi, ku i jeku be hūlhaha seme aha be nadanju ilan šusihalafi oforo,

---

蒙安牛彔下希賴巴克什前往發放蒙古糧食後，將糧倉鑰匙放在家裡，被希賴家奴竊得鑰匙，偷竊庫糧，而將該奴鞭打七十三鞭，

---

蒙安牛彔下希赖巴克什前往发放蒙古粮食后，将粮仓钥匙放在家里，被希赖家奴窃得钥匙，偷窃库粮，而将该奴鞭打七十三鞭，

šan tokoho. ejen be nadanju ilan šusiha šusihalafi, oforo, šan i jalin de uyun yan menggun gaiha. gartai be, jeku gaici bireme gaicina, jalu gurun be jobobume gaiha seme, gartai be weile arafi, orin sunja

---

刺耳、鼻。其主子鞭打七十三鞭，為贖刺耳、鼻，罰銀九兩。因噶爾泰徵糧時遍行徵收，以致所有國人苦於聚斂，將噶爾泰治罪，罰銀二十五兩。

---

刺耳、鼻。其主子鞭打七十三鞭，为赎刺耳、鼻，罚银九两。因噶尔泰征粮时遍行征收，以致所有国人苦于聚敛，将噶尔泰治罪，罚银二十五两。

yan gaiha. han de yangguri, seoken fonjifi, namtai iogi be daise fujiyang sindaha. hūsibu beiguwan, narin beiguwan be daise iogi sindaha. hūwašan, gebakū, jaosan, mafuta, hithai, elcingge be daise iogi sindaha.

---

經揚古利、叟肯請問於汗，授納木泰遊擊為代理副將；胡希布備禦官、納林備禦官為代理遊擊；華善、格巴庫、趙三、馬福塔、希特海、額勒青額為代理遊擊，

---

经扬古利、叟肯请问于汗，授纳木泰游击为代理副将；胡希布备御官、纳林备御官为代理游击；华善、格巴库、赵三、马福塔、希特海、额勒青额为代理游击，

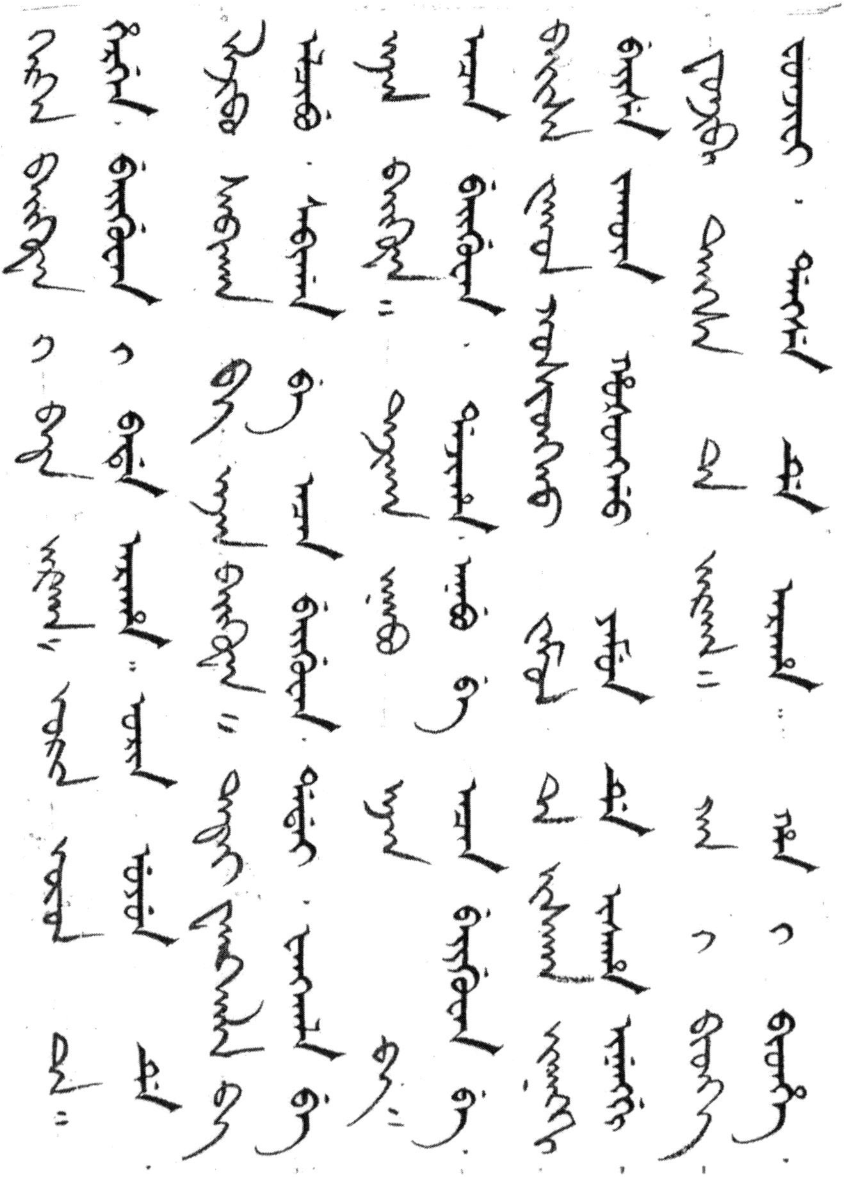

hergen, beiguwan i bade araha. orin uyun de, elcibu, sabigan be acan beiguwan, dadai, fangkala be acan beiguwan, dajiha, anabu be acan beiguwan be, beise jakūn hošonggo yamun de isaha inenggi fonjifi, dangse de araha. han i bithe,

---

其職銜書於備禦官之處。二十九日，以額勒齊布、薩比干合為備禦官，達岱、方喀拉合為備禦官，達吉哈、阿納布合為備禦官，於諸貝勒集於八角殿[8]之日請問在案。

---

其职衔书于备御官之处。二十九日，以额勒齐布、萨比干合为备御官，达岱、方喀拉合为备御官，达吉哈、阿纳布合为备御官，于诸贝勒集于八角殿之日请问在案。

---

[8] 八角殿，《滿文原檔》寫作 "jakon kosiongko jamon"，《滿文老檔》讀作 "jakūn hošonggo yamun"。滿文本《大清太祖武皇帝實錄》卷四，作 "jakūn hošonggo ordo"，滿蒙漢三體《滿洲實錄》卷七，滿文作 "jakūn hošonggo ordo"。按八角殿始建於天命七年(1622)六月東京城內(遼陽城東五里太子河邊)；天命十年(1625)三月遷都瀋陽(盛京)，重建八角殿。清太宗崇德元年(1636)改名「篤恭殿」，康熙年間改名「大政殿」。

# 五、兵不厭詐

gūsin de wasimbuha, yaya cooha tucifi yabure de, amba
coohai juleri juwe tanggū cooha sinda. tere juwe tanggū
cooha de, arga jali faksi enculeme seoleme bahanara juwe
ejen sinda. juwe tanggū coohai juleri

三十日，汗頒書諭曰：「凡軍旅出行，於大兵之前設兵二
百名。該兵二百名，以會智巧有謀者之二人為主將率之。
於兵二百名之前，

三十日，汗颁书谕曰：「凡军旅出行，于大兵之前设兵二
百名。该兵二百名，以会智巧有谋者之二人为主将率之。
于兵二百名之前，

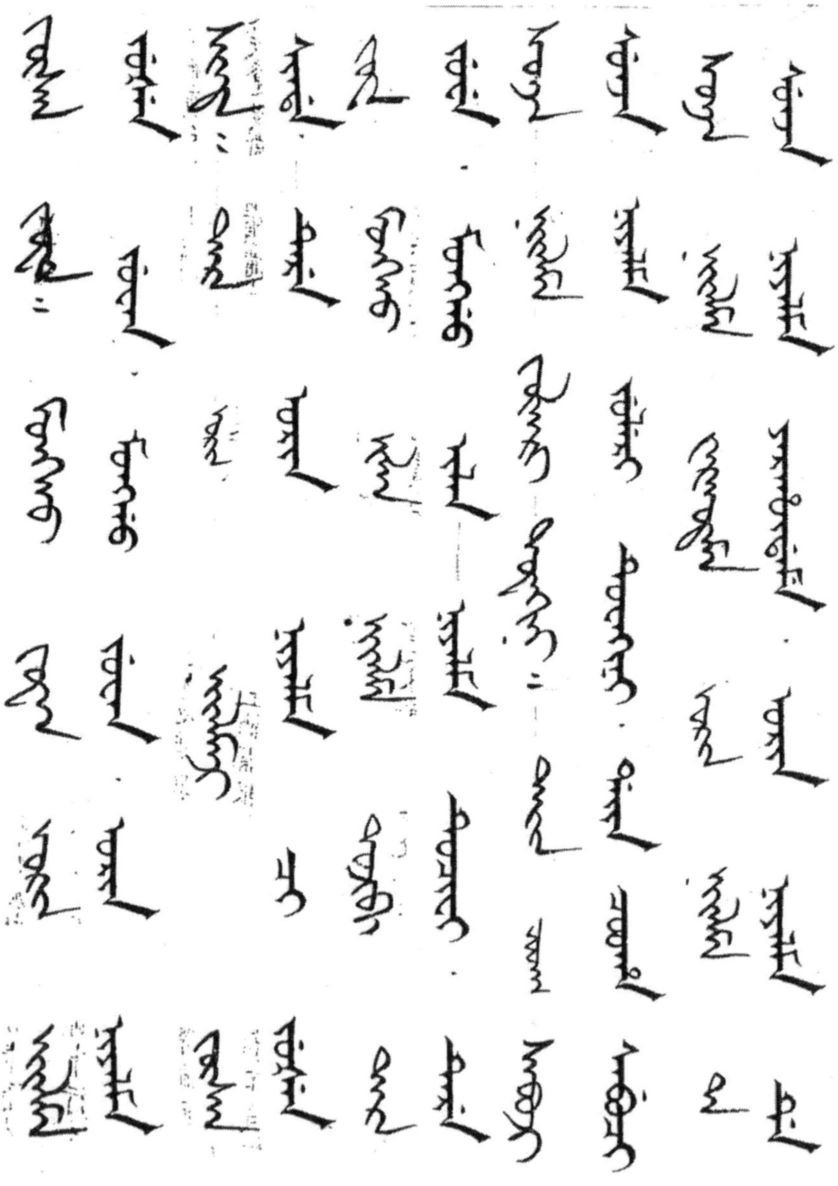

jušen juwan, monggo juwan, orin niyalma sinda. tere orin
niyalma ci jušen juwe, monggo ilan niyalma tucifi, tere sunja
niyalma juleri tuwakini. dain cooha sabuci sunja niyalma
yarhūdame orin niyalma de

設諸申十人、蒙古十人，共二十人。從該二十人內派出諸
申二人、蒙古三人，共五人為前探。若見敵兵，五人誘引
至二十人處，

设诸申十人、蒙古十人，共二十人。从该二十人内派出诸
申二人、蒙古三人，共五人为前探。若见敌兵，五人诱引
至二十人处，

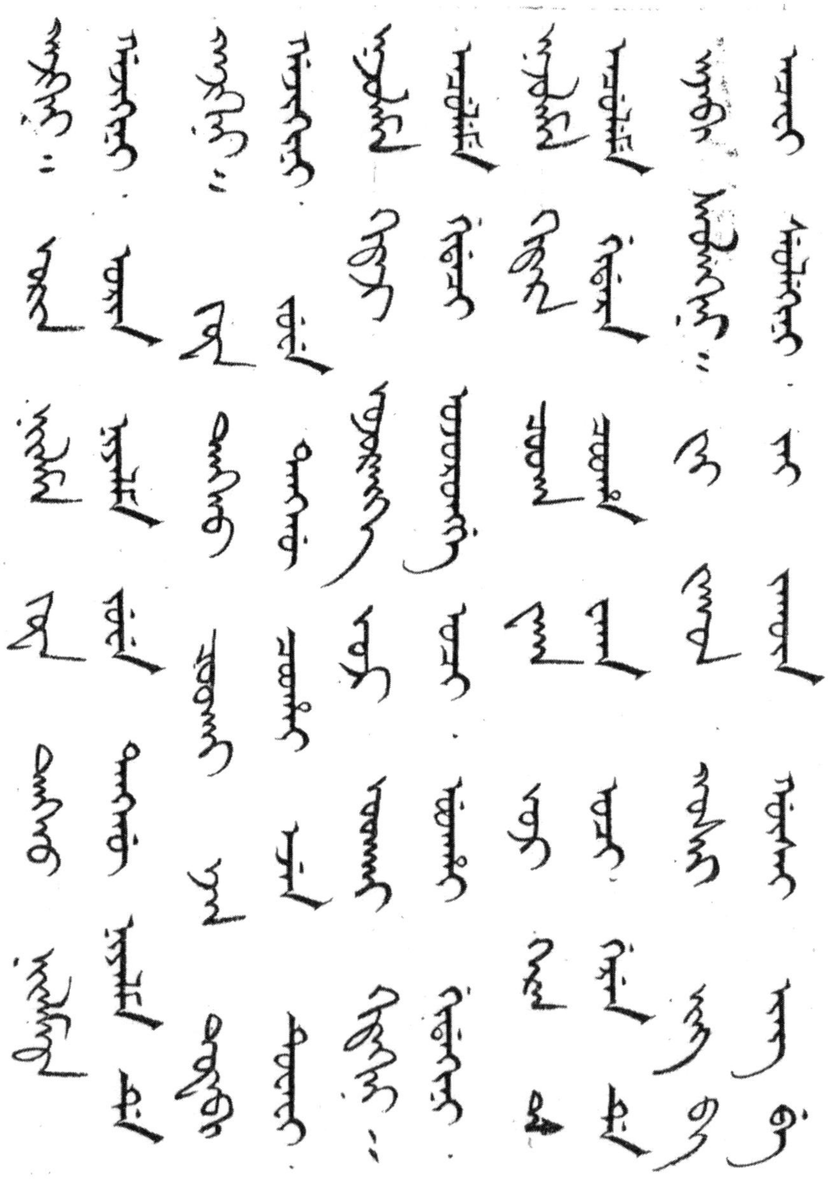

gajikini, orin niyalma juwe tanggū niyalma de gajikini. juwe tanggū coohai ejen tuwafi, enculeme gidaci ojorongge oci, uthai gidakini, enculeme gidara cooha waka oci, geren de acafi seolekini. jai jakūn gūsai ing be

二十人誘引至二百人處。二百兵之領兵主將視其敵若可破，即破之；若係不能破之兵，則集眾謀之。再者，

二十人诱引至二百人处。二百兵之领兵主将视其敌若可破，即破之；若系不能破之兵，则集众谋之。再者，

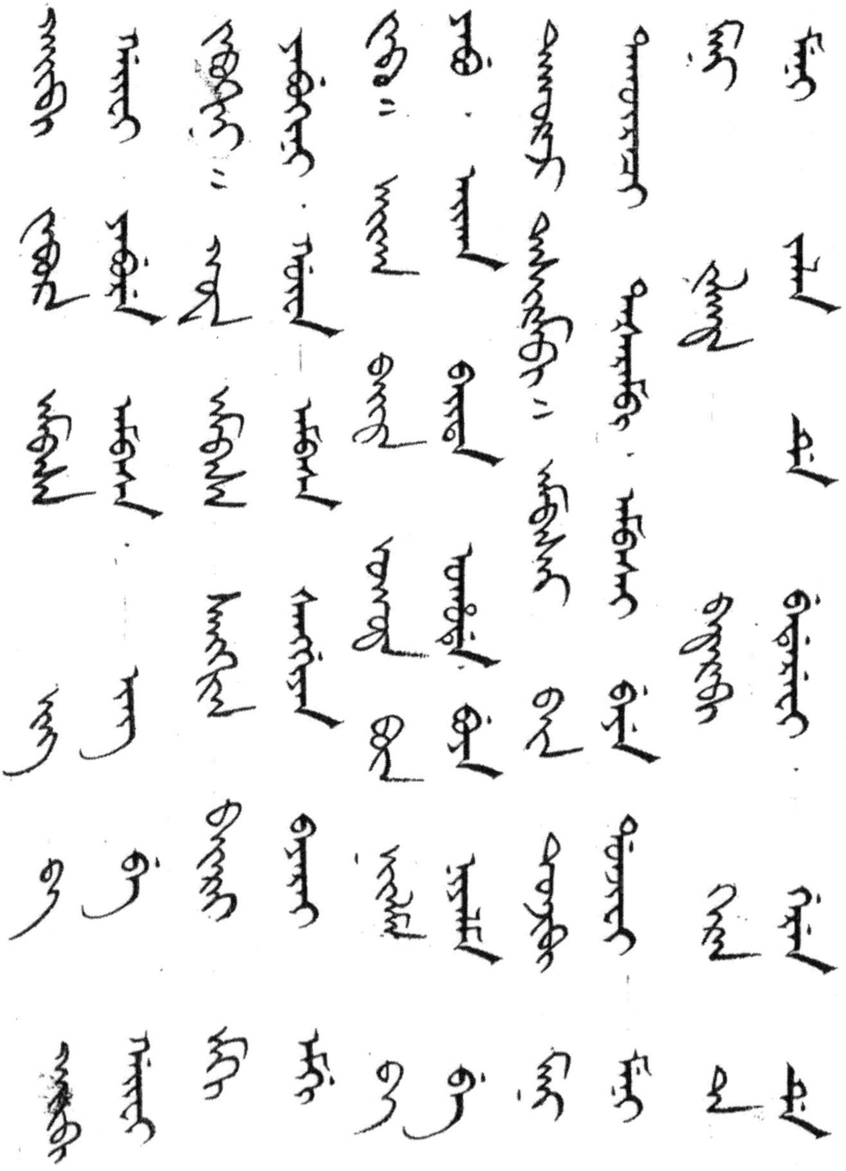

gaifi yabure ambasa, ing be gaifi yabukini, gūwa ambasa
šanggiyan bayarai emgi yabu. aika baita ohode, buya
niyalma be takūraci tašarambi, ambasai beye donjifi meni
meni jalan de bederefi geren de

率八旗行走之大臣等率營而行，其餘大臣等與白巴雅喇同
行。有事時，若派小人，必誤軍機，大臣等當親往聽聞，
然後各歸本隊，

率八旗行走之大臣等率营而行，其余大臣等与白巴雅喇同
行。有事时，若派小人，必误军机，大臣等当亲往听闻，
然后各归本队，

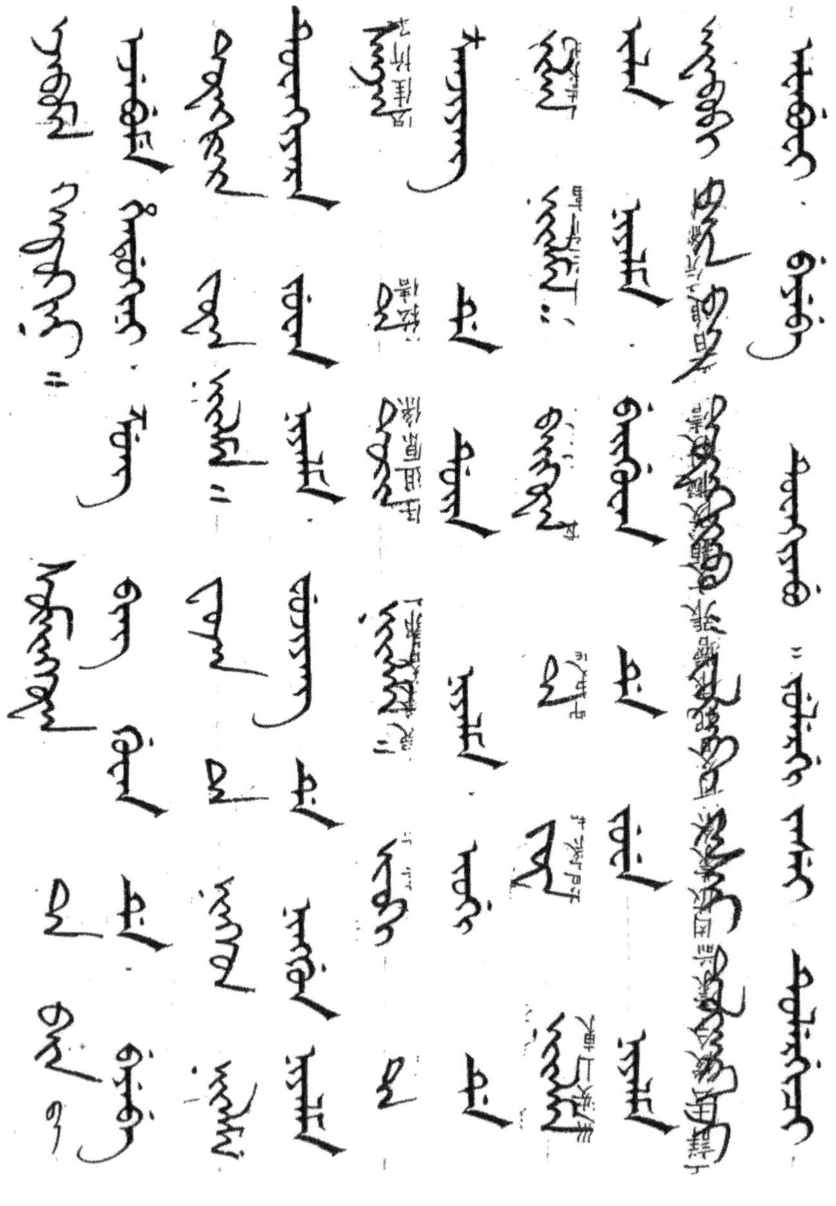

ejebume hendukini. dzung bing guwan de beyebe tuwakiyara
juwan niyalma, fujiyang de ninggun niyalma, ts'anjiyang de
duin niyalma, iogi de ilan niyalma, beiguwan de juwe
niyalma afabufi beyebe tuwakiyabu. julergi jasei tulergici

諭眾記之。派十人護衛總兵官，派六人護衛副將，派四人
護衛參將，派三人護衛遊擊，派二人護衛備禦官。」自南
界之外

諭众记之。派十人护卫总兵官，派六人护卫副将，派四人
护卫参将，派三人护卫游击，派二人护卫备御官。」自南
界之外

# 六、駐軍授田

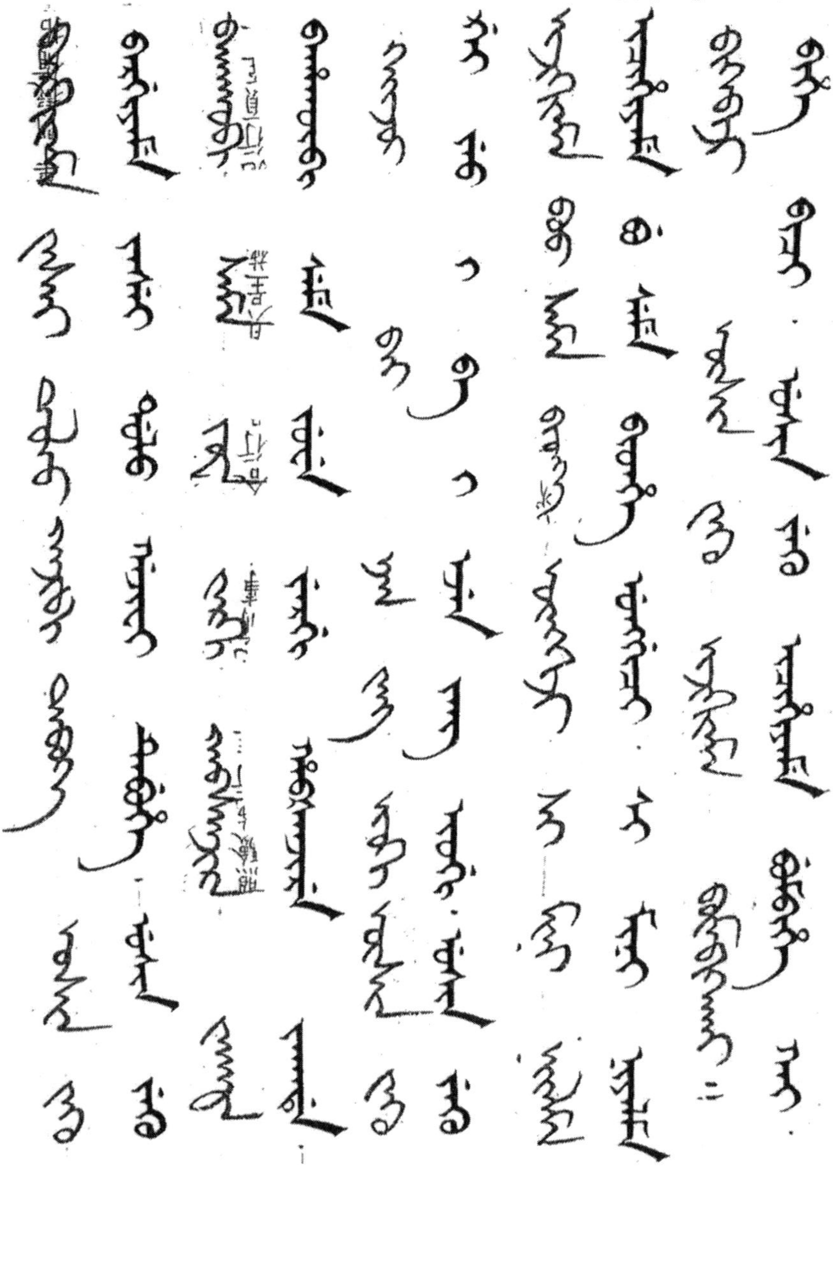

bargiyame jasei dolo gajifi tebuhe, usin jeku bahakūbi seme juwe jergi habšanjire jakade, g'ai jeo i ba i ejen jang iogi usin jeku icihiyame bu seme bithe unggici, si mini niyalma bihe bici, usin jeku icihiyame bumbihe kai.

收歸界內居住之人，因未獲田糧，二次前來訴告，遂致書令蓋州地方主將張遊擊辦給田糧。其書曰：「爾若係我之人，原應辦給田糧也，

收归界内居住之人，因未获田粮，二次前来诉告，遂致书令盖州地方主将张游击办给田粮。其书曰：「尔若系我之人，原应办给田粮也，

nikan han i baru gūnime ofi, geneci genekini seme usin jeku icihiyame buhekūbi kai, tere emu. jai ts'o ts'oo ioi ba i niyalma be ubašambi seme, ba i nikan, jušen i anafu tehe coohai ejete de alanahabi,

---

因心向明帝，若去即去，故未辦給田糧也，此其一。再者，剿草峪地方之人謀叛，該地漢人往告於諸申戍守之軍中主將，

---

因心向明帝，若去即去，故未办给田粮也，此其一。再者，剿草峪地方之人谋叛，该地汉人往告于诸申戍守之军中主将，

jušen i tai niyalma de alanahabi, nikan i anafu tehe u iogi,
tung iogi de alanahabi kai. tuttu anafu tehe niyalma de gemu
alacina, ba i ejen jang iogi sinde geli alanahakū doro bio.
tere be si

告於諸申臺人，又告於漢人戍守之吳遊擊、佟遊擊也。如
此戍守之人皆往告之，豈有未去告爾地方之長張遊擊之理
耶？

告于诸申台人，又告于汉人戍守之吴游击、佟游击也。如
此戍守之人皆往告之，岂有未去告尔地方之长张游击之理
耶？

mini niyalma bihe bici alanjimbihe kai. si inu nikan han i
niyalma ofi, genekini seme alanjihakū kai, tere juwe. jai,
mao wen lung de sain gisun bi, sinde sain gisun akūn. si ba i
niyalmai baru

爾若係我之人，原應前來告知也。因爾亦為明帝之人，欲
令其前往，而未來告，此其二。再者，豈有善言於毛文龍，
反而無善言於爾耶？應謂爾地方之人，

尔若系我之人，原应前来告知也。因尔亦为明帝之人，欲
令其前往，而未来告，此其二。再者，岂有善言于毛文龙，
反而无善言于尔耶？应谓尔地方之人，

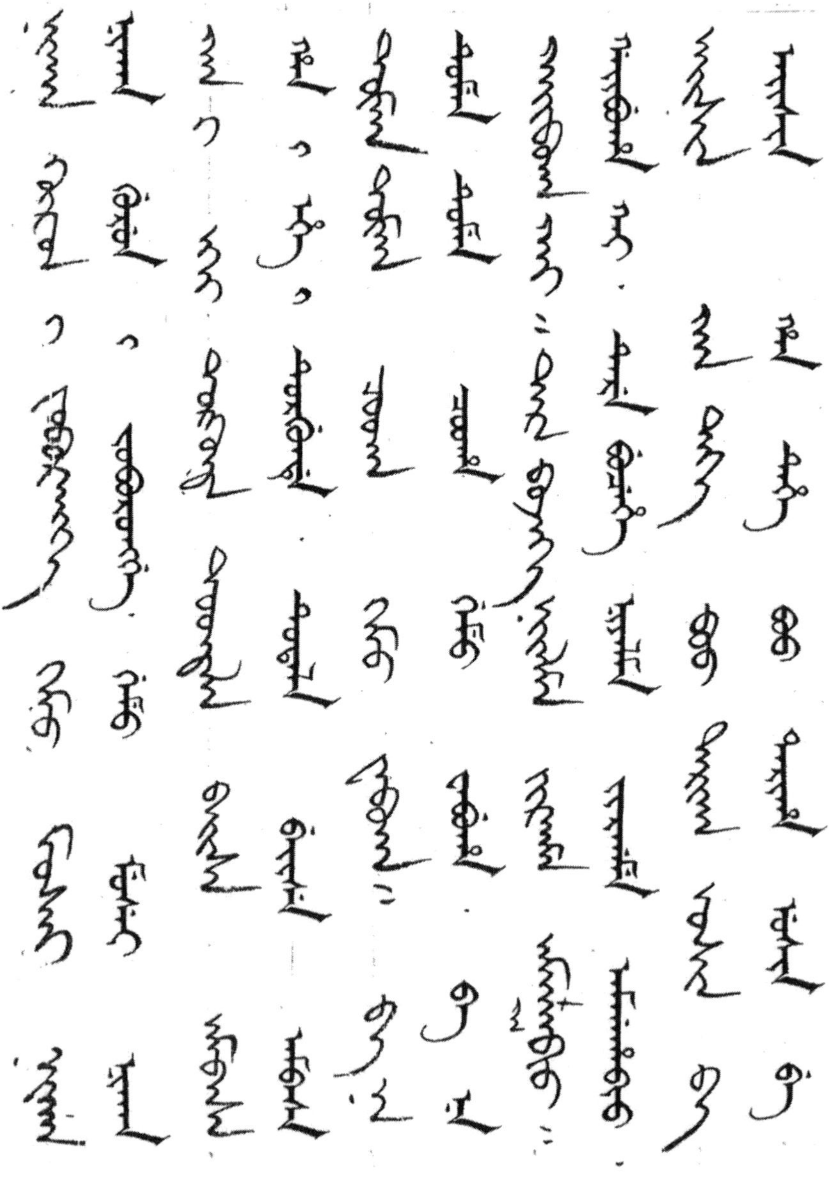

nikan gurun i joborongge, gemu musei nikan han i ehe i turgunde, tutala beise, ambasa tumen tumen cooha gemu wabuha, ba na gaibuha kai. tere bucehe niyalma jirgame amgahabio. aisin han tehe boo, tariha usin be

明國人之苦者，皆因我明帝為惡之故，以致眾多[9]王、大臣及數萬之兵皆被殺戮，地方淪陷也，其死者何以安息耶？金帝未動住家、耕田，

明国人之苦者，皆因我明帝为恶之故，以致众多王、大臣及数万之兵皆被杀戮，地方沦陷也，其死者何以安息耶？金帝未动住家、耕田，

---

[9] 眾多，《滿文原檔》寫作"tottala"，《滿文老檔》讀作"tutala"，意即「那麼多、許多」。

acinggiyahakū ujihe. ujici ojorakū, mao wen lung de šusihiyere gisun de dosifi, ukame ubašame geneme ofi guribuhe. musei beyei ehe de beye suilambi kai seme, si mini niyalma bihe bici tuttu hendumbihe kai, si

而加以養育。若不念養育之恩，聽信毛文龍挑唆之言，叛逃而去，因此遷移之。皆因我等自身之惡，而自受其苦也等語。

而加以养育。若不念养育之恩，听信毛文龙挑唆之言，叛逃而去，因此迁移之。皆因我等自身之恶，而自受其苦也等语。

inu nikan han i niyalma ofi hendurakū dere, tere ilan. sini
dolo jušen han be ulhirakū arafi, sini beyebe sula sindafi
baicarakū kai. jaisai beile ci ukame jihe ilan tanggū ihan,
juwan morin,

---

因爾亦明帝之人，是以不言，此其三。爾以為諸申汗無知，
任爾自身肆意妄行而不察也。」自齋賽貝勒逃來之牛三百
頭、馬十匹、

---

因尔亦明帝之人，是以不言，此其三。尔以为诸申汗无知，
任尔自身肆意妄行而不察也。」自斋赛贝勒逃来之牛三百
头、马十匹、

# 七、誅戮逃人

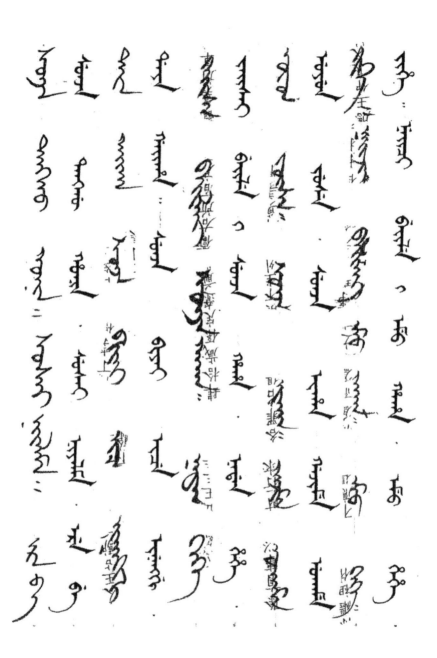

sunja tanggū honin, susai niyalma, ere be daya gaiha. sunja
biyai ice inenggi, jaisai beile i sunja haha, nadan hehe, uyun
juse, sunja ihan gajime ukame jihe. neici beile i emu haha,
emu hehe,

羊五百隻、人五十名，達雅將此取之。五月初一日，齋賽
貝勒之男五名、女七名、子九名，攜牛五頭逃來。內齊貝
勒之男一名、女一名，

羊五百只、人五十名，达雅将此取之。五月初一日，斋赛
贝勒之男五名、女七名、子九名，携牛五头逃来。内齐贝
勒之男一名、女一名，

duin morin gajime ukame jihe. fu jeo de anafu tehe moobari ts'anjiyang, mederi ebergi dalin de genefi, uyun cuwan bahafi tuwa sindaha, ilan cuwan i nikan jifi, musei coohai niyalma be sabufi amasi genere de, emu

---

攜馬四匹逃來。戍守復州毛巴里參將前往海岸，獲船九艘，放火焚之。有三船漢人前來，見我兵丁而退回時，

---

携马四匹逃来。戍守复州毛巴里参将前往海岸，获船九艘，放火焚之。有三船汉人前来，见我兵丁而退回时，

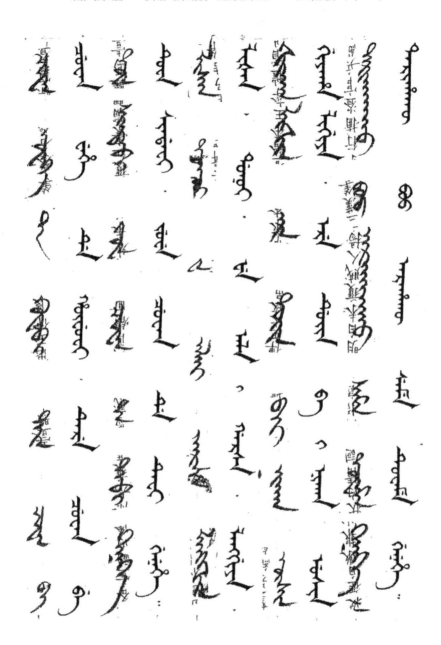

cuwan wehe de hūfufi, tere cuwan be tuwa sindafi, juwe cuwan de tefi genehe. lišan, donoi, fe ala i garsa, langgiya, giyaha, ligiya, ere duin ba i nikan usin tarihakū, boo arahakū seme tuwame genehe.

有一船遇石擱淺，遂將該船放火焚燒，漢人乘二船而去。李善、多諾依，因費阿拉之噶爾薩、朗家、嘉哈、李家此四處之漢人未耕田、築屋，而前往勘察。

有一船遇石搁浅，遂将该船放火焚烧，汉人乘二船而去。李善、多诺依，因费阿拉之噶尔萨、朗家、嘉哈、李家此四处之汉人未耕田、筑屋，而前往勘察。

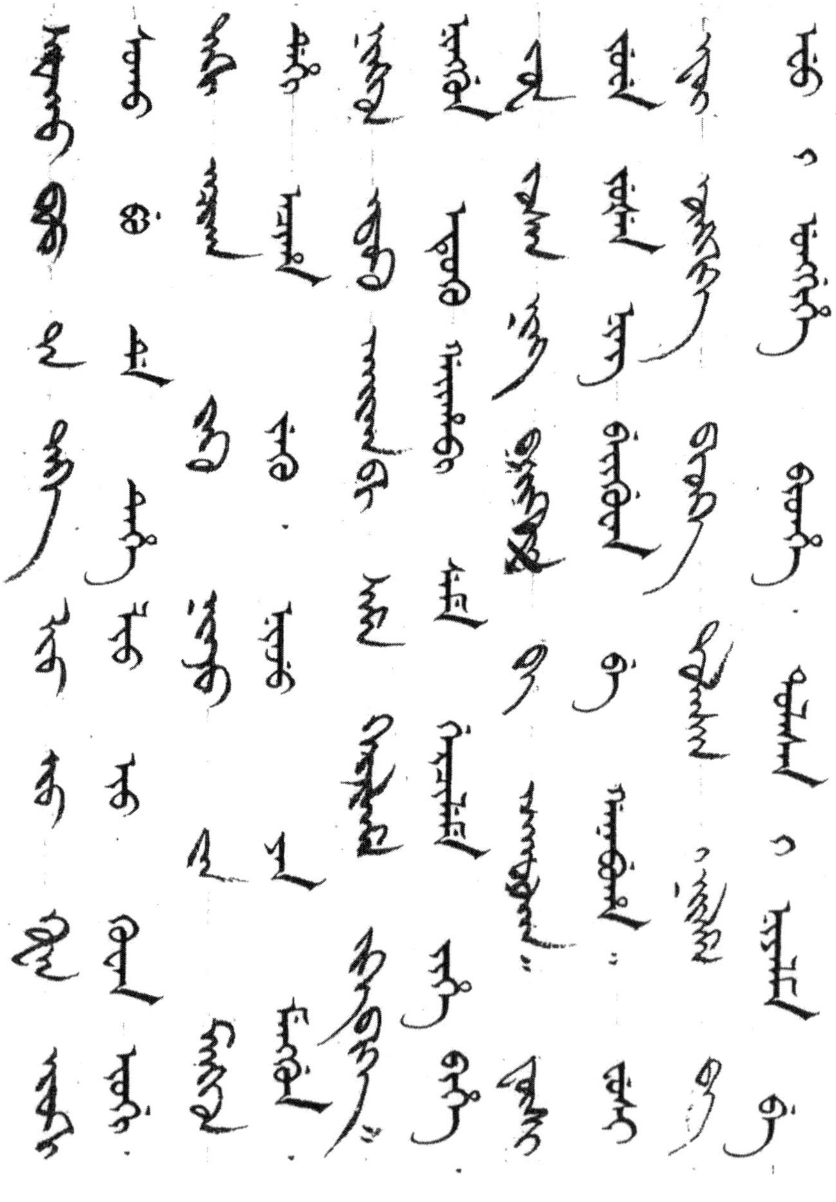

soko pu de tehe lio io kuwan iogi, dehi aciha jeku, ninju yan menggun, ninggun etuku gaihabi seme gercileme jihe bihe, juwe jušen ning beiguwan be ganabuha. fusi efu i unggihe bithe, tolasan i niyalma be

---

因有人前來首告：駐索闊堡劉有寬遊擊索取糧四十馱[10]、銀六十兩、衣物六件；故令諸申二人、寧備禦官前往執之。撫順額駙致書曰：

---

因有人前来首告：驻索阔堡刘有宽游击索取粮四十馱、银六十两、衣物六件；故令诸申二人、宁备御官前往执之。抚顺额驸致书曰：

---

[10] 四十馱，句中「馱」，《滿文原檔》寫作 "acika"，《滿文老檔》讀作 "aciha"。按滿文 "acimbi" 係蒙文 "ačiqu" 借詞（根詞 "aci-" 與 "ači-" 相同），意即「馱載」。

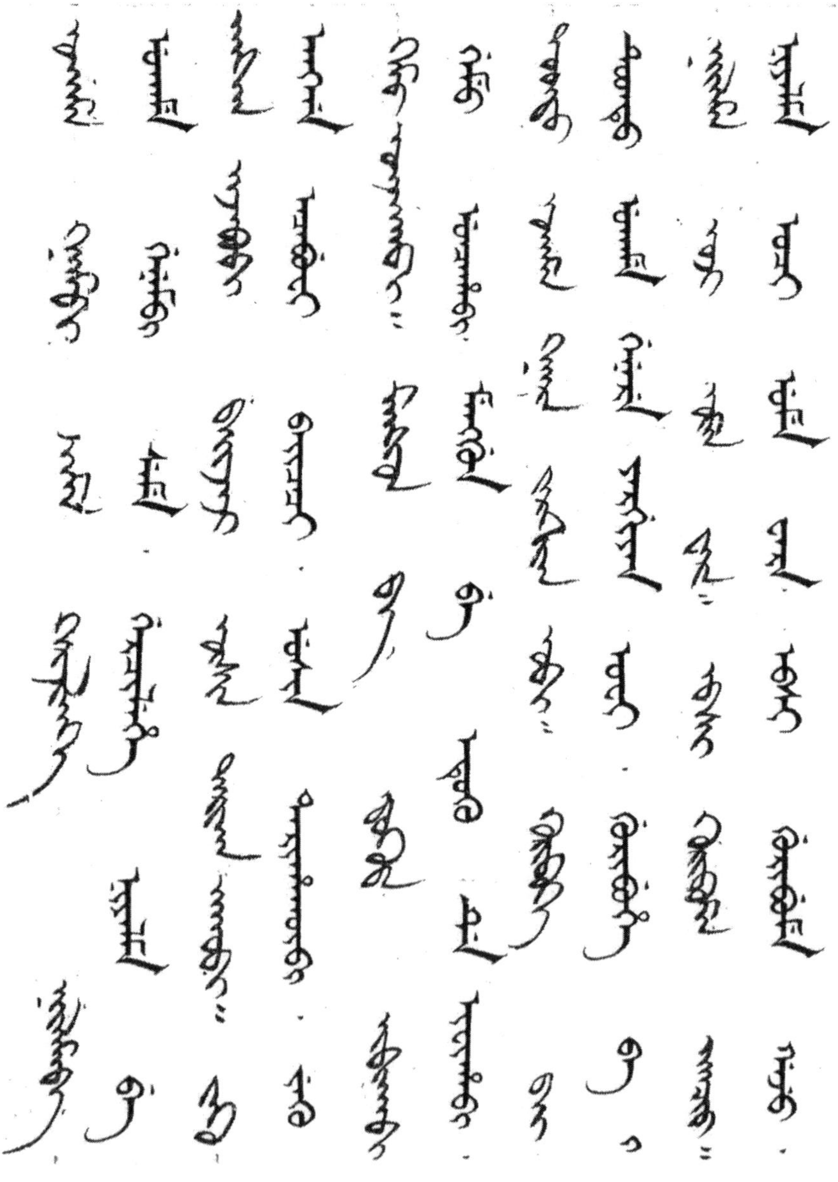

ukame genembi seme, gercilehe niyalma be angga acabufi
baicaci, usin tarihakūbi, jeku gemu uncahabi, menggun be
etuku de ifihabi, tuttu ukame genere yargiyan ofi, guribuhe
ba i niyalma oci ume wara, ebsi guribume gaju.

「有人首告托拉三之人欲逃走，經與首告之人對質後查
得：欲逃走之人未耕田，糧皆出售，縫銀於衣內，圖謀逃
走屬實。故遵照『若係遷移地方之人，勿殺，令其往這裡
遷移；

「有人首告托拉三之人欲逃走，经与首告之人对质后查
得：欲逃走之人未耕田，粮皆出售，缝银于衣内，图谋逃
走属实。故遵照『若系迁移地方之人，勿杀，令其往这里
迁移；

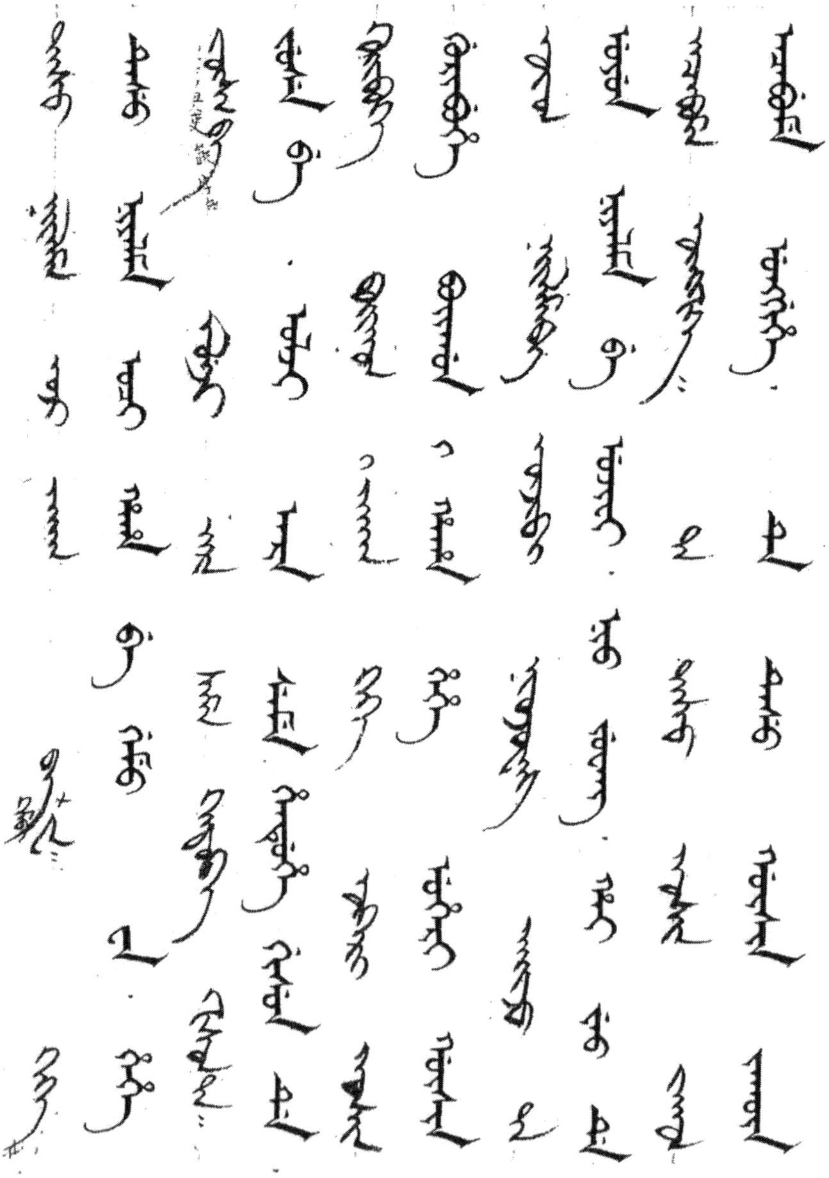

tesu niyalma oci haha be gemu wa, hehe juse be, olji ara seme henduhe gisun de, guribuhe boigon i haha hehe uheri gūsin uyun niyalma be ujifi, nio juwang, hai jeo de acabume unggihe. te tesu gūsin jakūn

---

若係本地人，則將其男子皆殺之，婦孺充俘』之諭令，即將遷移戶之男女共三十九人留養，遣往牛莊、海州合居之。

---

若系本地人，則将其男子皆杀之，妇孺充俘』之谕令，即将迁移户之男女共三十九人留养，遣往牛庄、海州合居之。

haha be gemu waha, hehe juse be olji araha, olji hehe juwan
uyun, ninggun morin, emu losa, duin ihan, duin eihen,
menggun duin tanggū jakūnju yan benjihe. han i bithe, sunja
biyai ice juwe de wasimbuha, yaya

今將本地之男丁三十八人，皆殺之，婦孺充俘。充俘之婦
女十九人、馬六匹、騾一隻、牛四頭、驢四隻、銀四百八
十兩送來。」五月初二日，汗頒書諭曰：

今將本地之男丁三十八人，皆杀之，妇孺充俘。充俘之妇
女十九人、马六匹、骡一只、牛四头、驴四只、银四百八
十两送来。」五月初二日，汗颁书谕曰：

# 八、蒙古貝勒

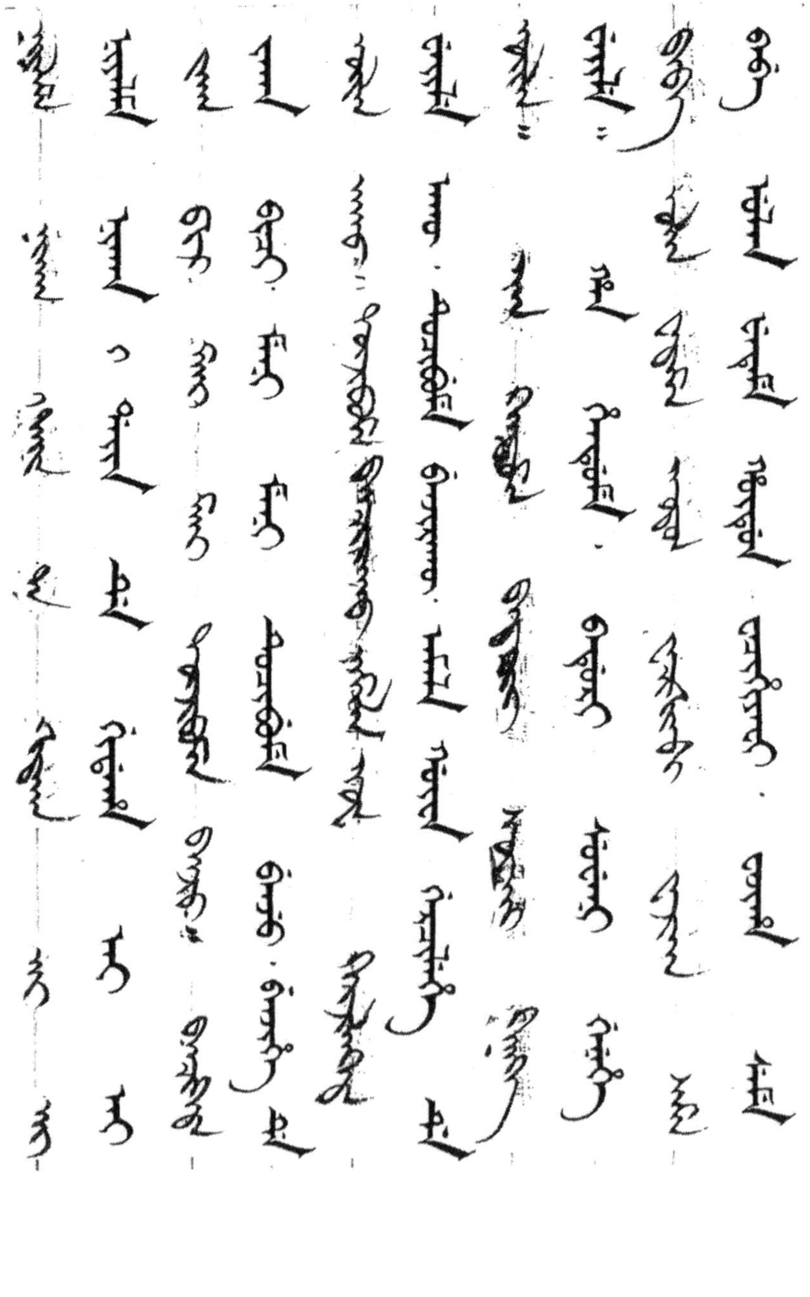

niyalma nikan i dain de gidaha ai ai jaka bici, meni meni tucibume benju. benjihe de weile akū, tucibume benjirakū amala gūwa gercilehe de weile. han hendume, baduri suweni genehe babe ulan feteme hūdun wacihiyafi, wajiha seme

「凡人與明征戰，若有藏匿各樣物件，均須各自交出送來；送來後無罪，不交出送來，後經人首告，則罪之。」汗遣人諭曰：「巴都里爾等前往之處從速掘壕，完竣後，

「凡人与明征战，若有藏匿各样物件，均须各自交出送来；送来后无罪，不交出送来，后经人首告，则罪之。」汗遣人谕曰：「巴都里尔等前往之处从速掘壕，完竣后，

bithe benju seme takūraha. monggo de cooha genehe beise
de takūrame, suwe ši fang sy i šurdeme ulha be ulebume ili,
ice sunja de, jang jan san i ebergi kojin pu de dosinju, ice
ninggun de cimari erde

齎書稟明已告竣。」遣人傳諭出兵蒙古諸貝勒曰：「著爾
等環十方寺周圍紮營，餧養牲畜。初五日，進入張占山以
內闊金堡，初六日清晨相會。」

赍书禀明已告竣。」遣人传谕出兵蒙古诸贝勒曰：「着尔
等环十方寺周围扎营，喂养牲畜。初五日，进入张占山以
内阔金堡，初六日清晨相会。」

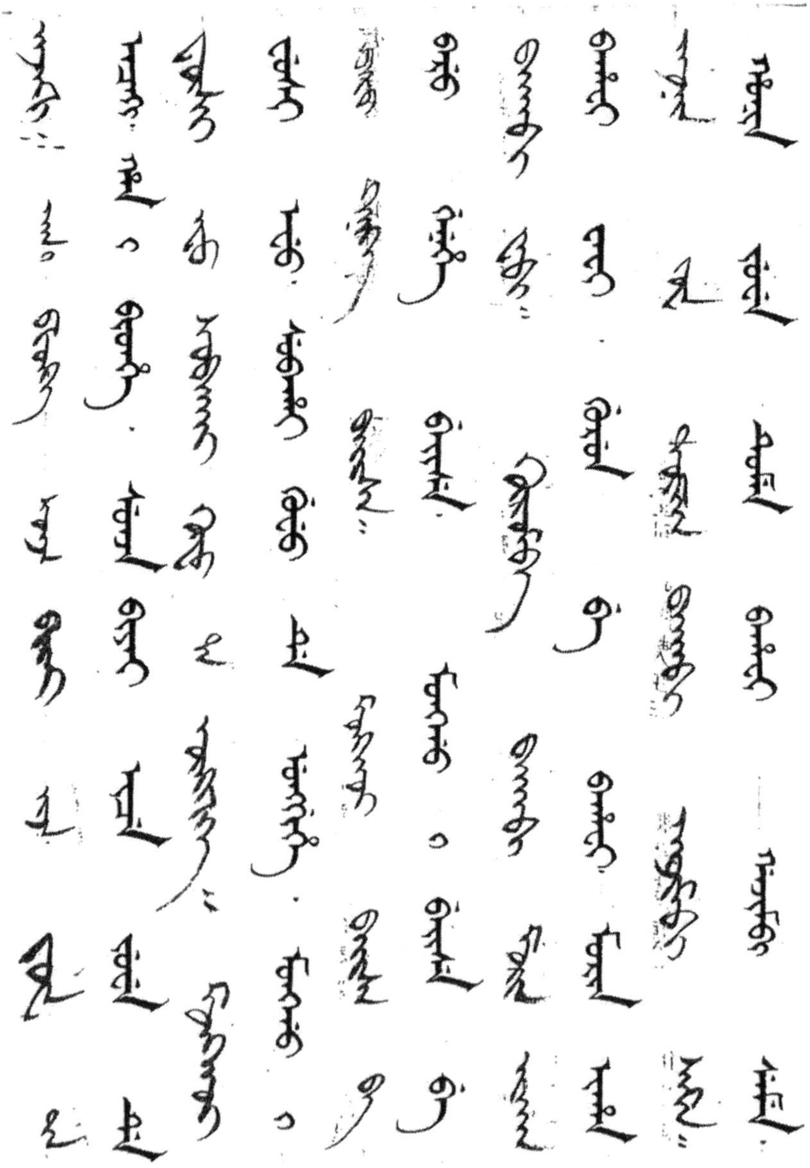

acaki. han i bithe sunja biyai ice juwe de fusi efu, subahai gufu de unggihe, monggo i baru genehe beise, monggo i beise be bahafi wafi, gurun be bahafi, morin, ihan, honin juwe tumen bahafi gajimbi seme,

五月初二日，汗致書諭撫順額駙、蘇巴海姑父曰：「往征蒙古之諸貝勒，擒獲蒙古貝勒，取其國，獲馬、牛、羊二萬隻帶來。」

五月初二日，汗致书谕抚顺额驸、苏巴海姑父曰：「往征蒙古之诸贝勒，擒获蒙古贝勒，取其国，获马、牛、羊二万只带来。」

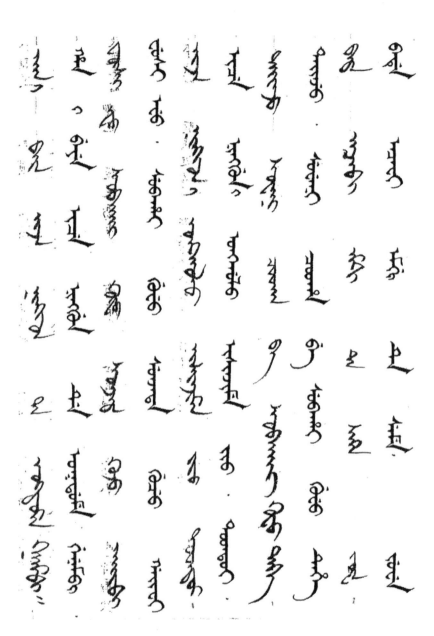

han i beye ice ninggun de okdome genembi, fusi efu, subahai gufu sunjata gucu gaifi ice ninggun i onggolo isinjime jio, tottoi, tainju, suweni cooha be subahai gufu tehe bade acafi emgi te seme juwe

汗於初六日親往相迎。著撫順額駙、蘇巴海姑父，各率從者五人於初六日前抵達，著托特托依、泰音珠率爾等之兵合駐於蘇巴海姑父所駐之處。」

汗于初六日亲往相迎。着抚顺额驸、苏巴海姑父，各率从者五人于初六日前抵达，着托特托依、泰音珠率尔等之兵合驻于苏巴海姑父所驻之处。」

# 九、嚴禁竊盜

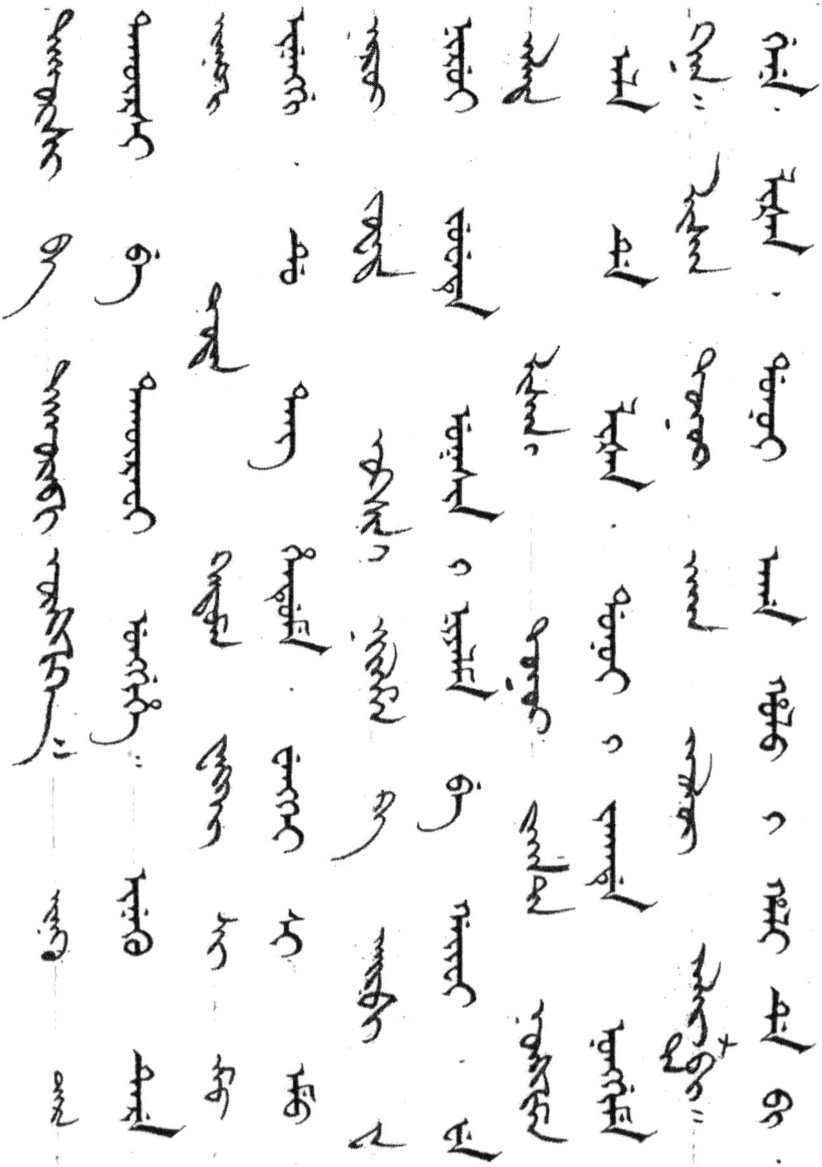

takūrsi be takūrafi unggihe. ineku tere inenggi, du tang hendume, wengkei si, emu nirui juwete uksin i niyalma be gaifi, fe ala de lišan, donoi i jakade nonggime gene. lišan, donoi aga holo i hali de bi,

遂遣承差二人前往。是日，都堂曰：「著爾翁克依率每牛彔披甲各二人，前往費阿拉增援李善、多諾依。李善、多諾依在雨溝荒甸，

遂遣承差二人前往。是日，都堂曰：「着尔翁克依率每牛彔披甲各二人，前往費阿拉增援李善、多诺依。李善、多诺依在雨沟荒甸，

lišan cooha be werifi casi geneci, wengkei si lišan i werihe
coohai jakade bisu, wengkei bi jihebi seme, elcin takūra.
cooha gemu geneci, lišan be baime gene, jugūn i niyalma
fonjici, anafu teme genembi seme ala,

---

李善若留兵前往彼處，爾翁克依即駐李善留兵之處，並遣
使往告：翁克依我已前來等語。若兵皆往，則往尋李善；
途中若有人問，則告以前往戍守。

---

李善若留兵前往彼处，尔翁克依即驻李善留兵之处，并遣
使往告：翁克依我已前来等语。若兵皆往，则往寻李善；
途中若有人问，则告以前往戍守。

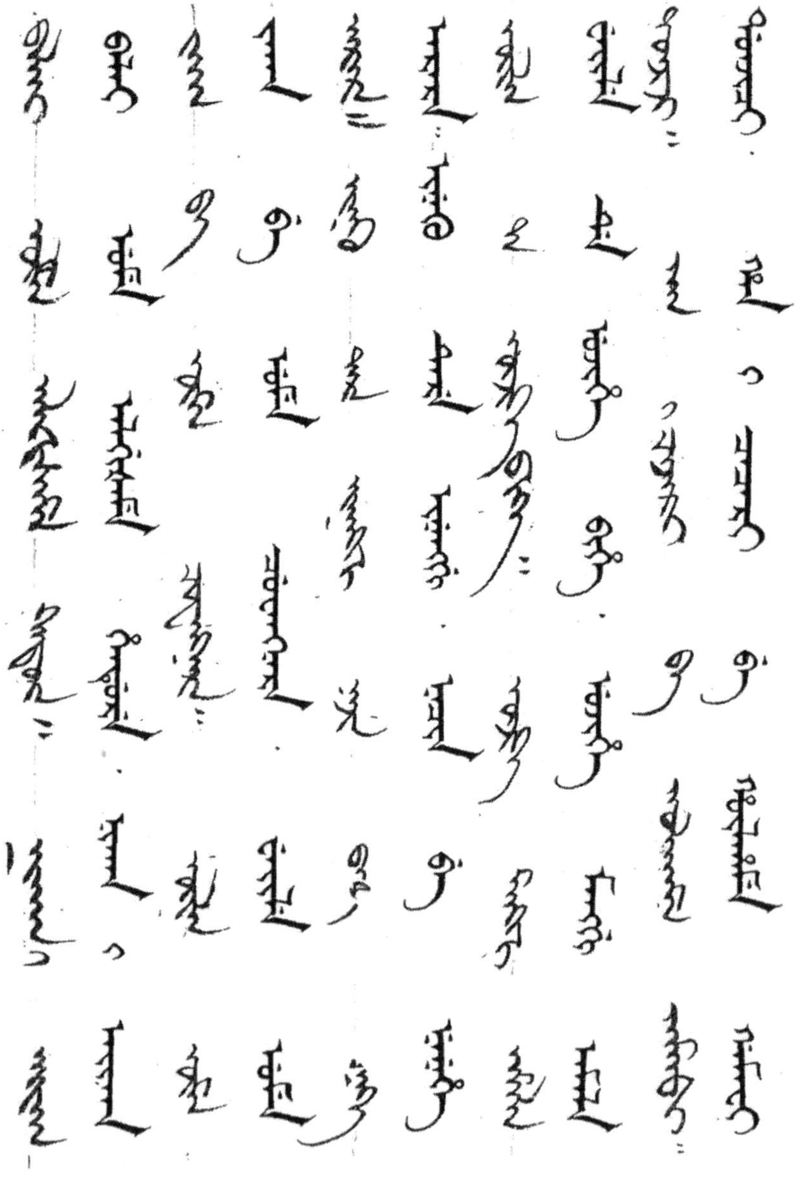

balai ume algišame hendure, nikan i aika jaka be ume cuwangnara, weile ume arara. ineku tere inenggi, nacin be nenehe weile de ujihe bihe, ujihe manggi amala donjici, han i cacari be hūlhame gamafi

勿得胡亂聲張，勿搶掠漢人一應物件，勿行犯罪。」是日，納欽曾因罪豁免而豢養之。豢養之後又聞得，竊取汗之帷幄，

勿得胡乱声张，勿抢掠汉人一应物件，勿行犯罪。」是日，纳钦曾因罪豁免而豢养之。豢养之后又闻得，窃取汗之帷幄，

efulefi ini booi haha de etubuhebi, tere be han donjifi, ere dule mini booi aika jaka be wacihiyaha nikai seme jili banjifi, nacin be waha. orin jakūn de, ooba i elcin, aduci i elcin, bingtu i elcin,

---

毀壞後給其家丁製作衣物。汗聞之怒曰：「此豈非盜盡我家一應物件耶？」遂殺納欽。二十八日，奧巴之使者、阿都齊之使者、冰圖之使者，

---

毁坏后给其家丁制作衣物。汗闻之怒曰：「此岂非盗尽我家一应物件耶？」遂杀纳钦。二十八日，奥巴之使者、阿都齐之使者、冰图之使者，

ukšan i elcin, ilduci i elcin, daicing ni tomontai i elcin, bayartu i elcin, sangtu i elcin, manin i elcin, jisai i elcin, omoktu i elcin, hūrhatu i elcin, ongnoi i elcin, hatan i elcin, budasiri i elcin, mamai i elcin, beki i elcin, bandi i

---

烏克善之使者、伊勒都齊之使者、岱青托門泰之使者、巴雅爾圖之使者、桑圖之使者、馬尼因之使者、吉賽之使者、鄂謨克圖之使者、胡爾哈圖之使者、翁諾依之使者、哈坦之使者、布達西里之使者、馬邁之使者、博齊之使者、班第之使者、

---

乌克善之使者、伊勒都齐之使者、岱青托门泰之使者、巴雅尔图之使者、桑图之使者、马尼因之使者、吉赛之使者、鄂谟克图之使者、胡尔哈图之使者、翁诺依之使者、哈坦之使者、布达西里之使者、马迈之使者、博齐之使者、班第之使者、

# 十、接受餽送

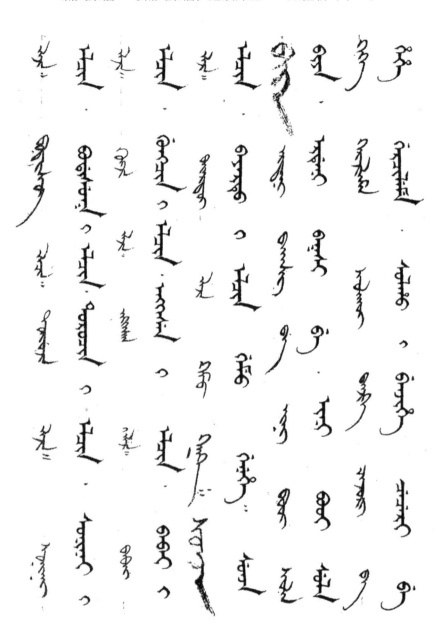

elcin, bodisuk i elcin, torocin i elcin, soninai i elcin, gungcin i elcin, engkesen i elcin, babai i elcin, bayartu i elcin gemu genehe. sunja biya, erdeni baksi be, ini booi sula hehe gercileme, solho i benjihe ceceri be

博迪蘇克之使者、托羅欽之使者、索尼鼐之使者、恭欽之使者、恩克森之使者、巴拜之使者、巴雅爾圖之使者，皆歸去。五月，額爾德尼巴克什為其家中婢妾首告，曾接受朝鮮餽送之絹，

博迪苏克之使者、托罗钦之使者、索尼鼐之使者、恭钦之使者、恩克森之使者、巴拜之使者、巴雅尔图之使者，皆归去。五月，额尔德尼巴克什为其家中婢妾首告，曾接受朝鲜馈送之绢，

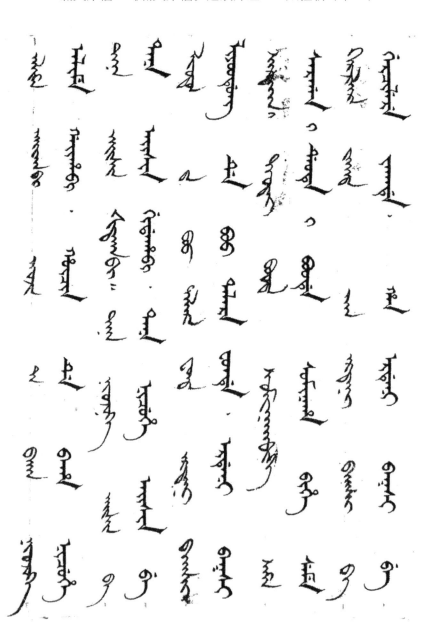

alime gaihabi, hūcin de baha nicuhe, tana, aisin gidahabi. tana, nicuhe, aisin be liyoodung de boo talara fonde, erdeni baksi sargan i deote i boode sominaha bihe seme gercilere jakade, han, erdeni baksi be

---

將所獲之珍珠、東珠、金藏匿井中。在遼東抄家時，額爾德尼巴克什將東珠、珍珠、金藏於妻弟各家中。汗召額爾德尼巴克什曰：

---

將所获之珍珠、东珠、金藏匿井中。在辽东抄家时，额尔德尼巴克什將东珠、珍珠、金藏于妻弟各家中。汗召额尔德尼巴克什曰：

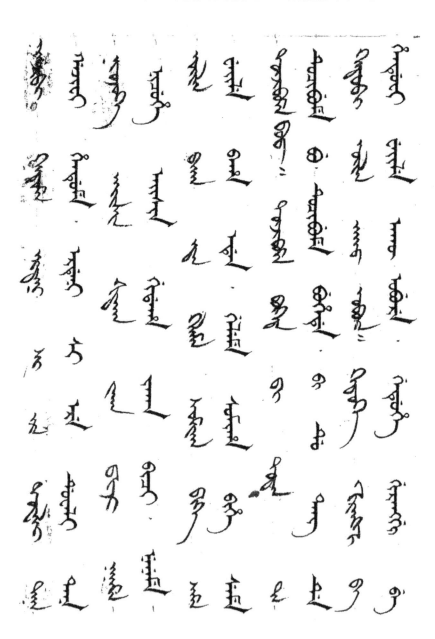

gajifi hendume, erdeni si ere duwali tana, nicuhe, aisin gidaha jaka bici, neneme weile baha eden, geleme somiha bihe seme tucibume bu. tucibume buhede, bi du tang de hendufi weile akū obure, geduhe giranggi be

「額爾德尼爾若隱匿此類東珠、珍珠、金等物，乃前案所獲殘餘之物，因畏懼而藏匿之，故令爾獻出。獻出時，我諭都堂赦爾無罪，既啃之骨，

「额尔德尼尔若隐匿此类东珠、珍珠、金等物，乃前案所获残余之物，因畏惧而藏匿之，故令尔献出。献出时，我谕都堂赦尔无罪，既啃之骨，

dasame gedumbio, si alime gaijarakū giyangnafi tuheke manggi, bi darakū seme henduhe manggi, erdeni baksi, han de hengkilefi, gidaha jaka akū seme jabuki serede, han hendume, si balai ume jabure, amasi bederefi elhei

（既啃之骨）焉能再啃耶[11]？倘爾強辯不承認，因而陷罪，我亦不加干涉矣。」額爾德尼巴克什向汗叩頭，欲答並無藏匿之物時，汗止之曰：「爾勿妄答，退回後從容深思，

（既啃之骨）焉能再啃耶？倘尔强辩不承认，因而陷罪，我亦不加干涉矣。」额尔德尼巴克什向汗叩头，欲答并无藏匿之物时，汗止之曰：「尔勿妄答，退回后从容深思，

---

[11] 既啃之骨焉能再啃耶，《滿文原檔》、《滿文老檔》俱讀作 "geduhe giranggi be dasame gedumbio"，〈簽注〉云：「蓋罪上加罪乎之意」，謹此逐譯參照。

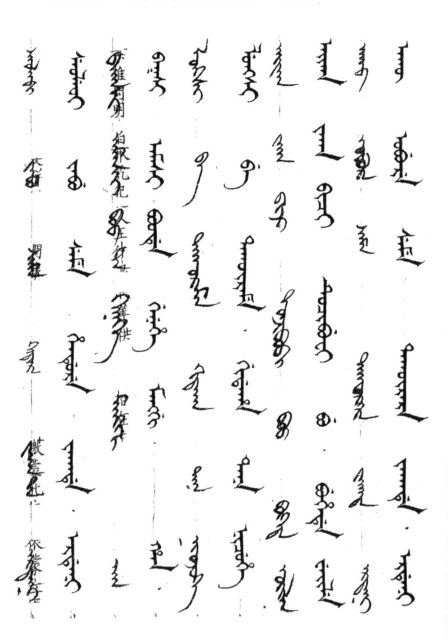

seolefi jabu seme hendure jakade, erdeni baksi amasi boode genehe manggi, han, lungsi be takūrame, gidaha tana, nicuhe aika jaka bici tucibufi bu, buhede weile akū obure seme takūrara jakade, erdeni

---

再行稟答。」額爾德尼巴克什退回家中後，汗遣龍什向其曉諭曰：「若有藏匿之東珠、珍珠一應物件，即行獻出。獻則無罪。」

---

再行禀答。」额尔德尼巴克什退回家中后，汗遣龙什向其晓谕曰：「若有藏匿之东珠、珍珠一应物件，即行献出。献则无罪。」

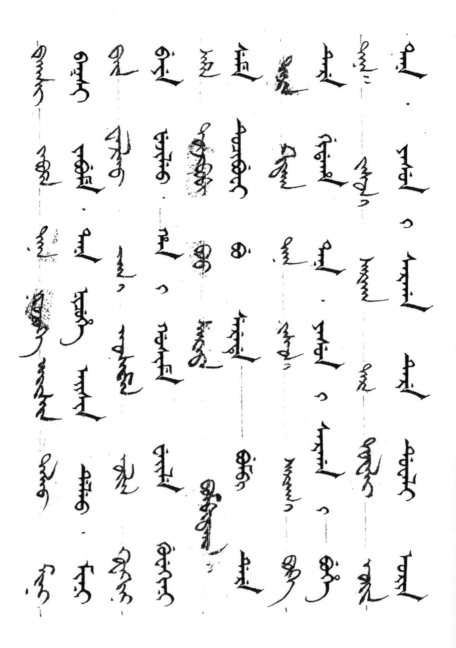

baksi jabume, tana, nicuh, aisin deleo, mini beye fejileo. han
i gosime weile guwekini seme tucibufi bu serede bumbi dere.
tere gidaha tana, yasun i sargan i buhe tana, yasun i sargan
tere duwali orin

額爾德尼巴克什答曰：「我豈能以東珠、珍珠、金為貴，
自身為賤耶？蒙汗眷顧，獻出即可免罪。今獻出所藏之東
珠，乃雅蓀之妻所贈之東珠。雅蓀之妻曾將此類

額尔德尼巴克什答曰：「我岂能以东珠、珍珠、金为贵，
自身为贱耶？蒙汗眷顾，献出即可免罪。今献出所藏之东
珠，乃雅荪之妻所赠之东珠。雅荪之妻曾将此类

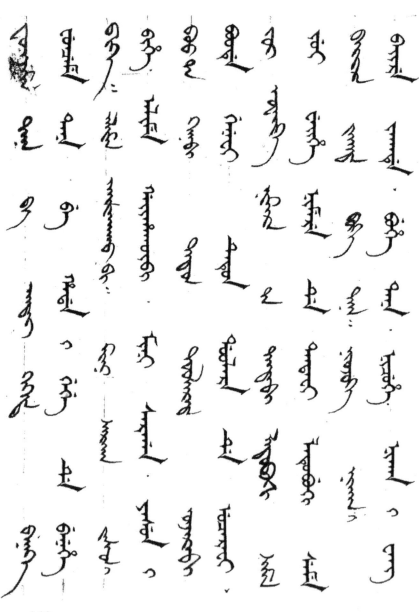

funceme tana be hada i gege de benehe bihe, alime gaihakūbi, mini sargan, yasun i boode genefi tetun doolara de ucarafi, jui weihe nimere de tantafi latubuki seme baire jakade, buhe tana, nicuhe, nikan i wang

東珠二十餘顆贈送哈達之格格，而未接受。我妻往雅蓀家，適逢其翻箱倒器，因我子有齒疾，故乞求之研碎後欲粘敷患處。所贈之東珠、珍珠，

东珠二十余颗赠送哈达之格格，而未接受。我妻往雅荪家，适逢其翻箱倒器，因我子有齿疾，故乞求之研碎后欲粘敷患处。所赠之东珠、珍珠，

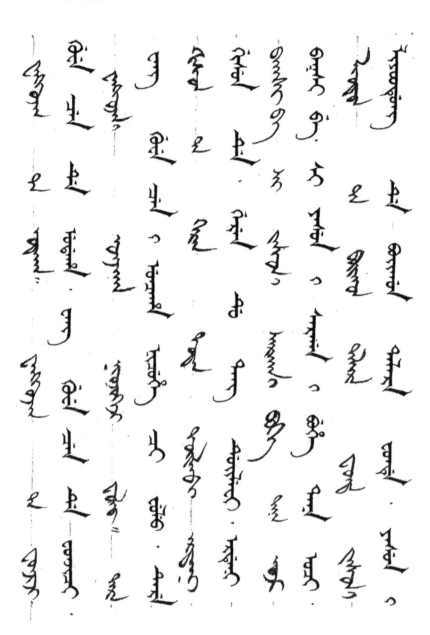

guwe cen de udaha. wang guwe cen de fonjici, wang guwe
cen i uncaha nicuhe ci fulu, tere gisun de, geren du tang
duilefi, erdeni baksi be, si yasun i sargan i buhe tana oci,
liyoodung de boigon talara fonde, yasun i

係購於漢人王國臣者。」詢問王國臣時，其珍珠多於王國
臣所售之數。因其言，眾都堂審擬額爾德尼巴克什曰：「爾
若係雅蓀之妻所贈之東珠，在遼東抄家時，

系购于汉人王国臣者。」询问王国臣时，其珍珠多于王国
臣所售之数。因其言，众都堂审拟额尔德尼巴克什曰：「尔
若系雅荪之妻所赠之东珠，在辽东抄家时，

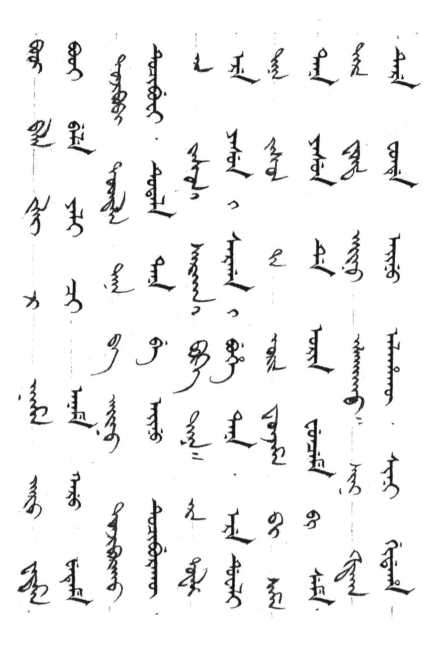

booi bele, yali ci aname karu feteme tucibufi, tutala tana be
ainu tuciburakū. ere yasun i sargan i buhe tana, ere duwali
tana, yasun de orin funceme bi seme, tere fonde ainu alahakū.
sini gidaha

雅蓀家所有米、肉既報逐一搜出，如此多之東珠為何未搜
出？爾當時為何未告知此係雅蓀之妻所贈之東珠，此類東
珠，雅蓀尚有二十餘顆乎？

雅荪家所有米、肉既报逐一搜出，如此多之东珠为何未搜
出？尔当时为何未告知此系雅荪之妻所赠之东珠，此类东
珠，雅荪尚有二十余颗乎？

tana be yasun de ainu anambi. boigon talara de jailabume ainu benehe seme, erdeni baksi eigen sargan be wara weile maktafi, erdeni baksi jailabume benehe tana, nicuhe, aisin be ainu alime gaifi asaraha,

---

爾所藏匿之東珠為何推給雅蓀？抄家時為何送藏他處？故擬額爾德尼巴克什夫妻以死罪[12]。又以為何接受窩藏額爾德尼巴克什送來之東珠、珍珠、金等物？

---

尔所藏匿之东珠为何推给雅荪？抄家时为何送藏他处？故拟额尔德尼巴克什夫妻以死罪。又以为何接受窝藏额尔德尼巴克什送来之东珠、珍珠、金等物？

---

[12] 擬死罪，《滿文原檔》寫作 "wara üile maktabi（k 陰性）"，《滿文老檔》讀作 "wara weile maktafi（k 陽性）"。按滿文 "maktambi" 係蒙文"maɣadlaqu"借詞，(根詞"makta-"為"maɣadla-"縮略)，意即「判定」。又，擬(罪)之詞，規範滿文讀作"tuhebumbi"。

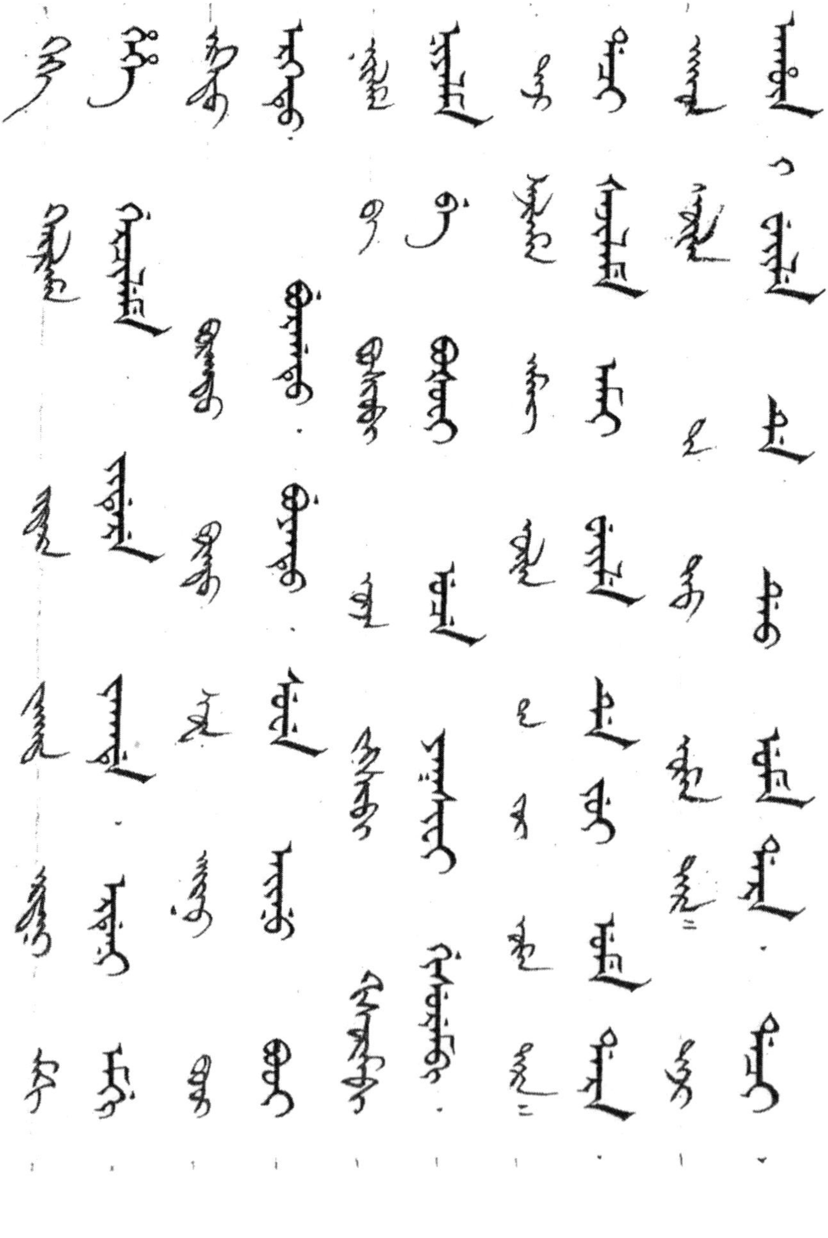

hehe gercileme jidere jakade, erdeni emgi erketu, burgatu, buyantu, suwe ainu booi niyalma be bošofi uce yaksifi gisurembi, daci šajilame amai weile de jui ume dara, ahūn i weile de deo ume dara, daci

婢女前來首告時，額爾科圖、布爾噶圖、布彥圖爾等為何會同額爾德尼逐出家人閉門私議？當初曾頒佈禁令：『父有罪，子勿涉，兄有罪，弟勿涉；

婢女前来首告时，额尔科图、布尔噶图、布彦图尔等为何会同额尔德尼逐出家人闭门私议？当初曾颁布禁令：『父有罪，子勿涉，兄有罪，弟勿涉；

wara weile oci suwaliyame wambi, weile gaijara weile oci, weile gaimbi seme šajilahakū biheo. suwe ainu dambi seme han de alara jakade, han jili banjifi, erdeni baksi eigen sargan be wa seme gemu waha.

若涉入，則死罪同斬，罰罪同罰。』爾等為何涉入？遂稟告於汗。汗怒，命殺額爾德尼巴克什夫妻，遂皆殺之。

若涉入，則死罪同斬，罚罪同罚。』尔等为何涉入？遂稟告于汗。汗怒，命杀额尔德尼巴克什夫妻，遂皆杀之。

erketu be tanggū šusiha šusihalafi oforo šan tokoho. burgatu, buyantu be susaita šusiha šusihalaha, šan tokoho. han, ice ilan i cimari, beise ambasa be isabufi hendume, erdeni ini beyebe tondoi bucembi seme henduhe

---

額爾科圖鞭打一百鞭，刺其耳、鼻；布爾噶圖、布彥圖鞭打各五十鞭，刺其耳。初三日晨，汗召集諸貝勒大臣曰：「據聞額爾德尼曾言其身盡忠効死。

---

额尔科图鞭打一百鞭，刺其耳、鼻；布尔噶图、布彦图鞭打各五十鞭，刺其耳。初三日晨，汗召集诸贝勒大臣曰：「据闻额尔德尼曾言其身尽忠効死。

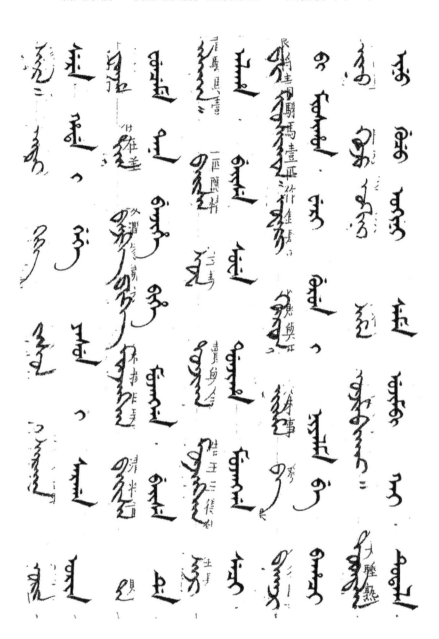

sere. hada i gege yasun i sargan orin funceme tana benjihe bihe mujangga beise de alaha, beise suwe donjiha, mujangga seci, bi miosihon, weri gurun i niyalma be bahaci inu gucu okini seme ujimbi kai. tutala

---

倘哈達之格格將雅蓀之妻送來東珠二十餘顆之事如實告知諸貝勒，而爾等諸貝勒聞之，若係屬實，則係我之屈枉也。若獲他國之人，亦當視為僚友豢養之，

---

倘哈达之格格将雅荪之妻送来东珠二十余颗之事如实告知诸贝勒，而尔等诸贝勒闻之，若系属实，则系我之屈枉也。若获他国之人，亦当视为僚友豢养之，

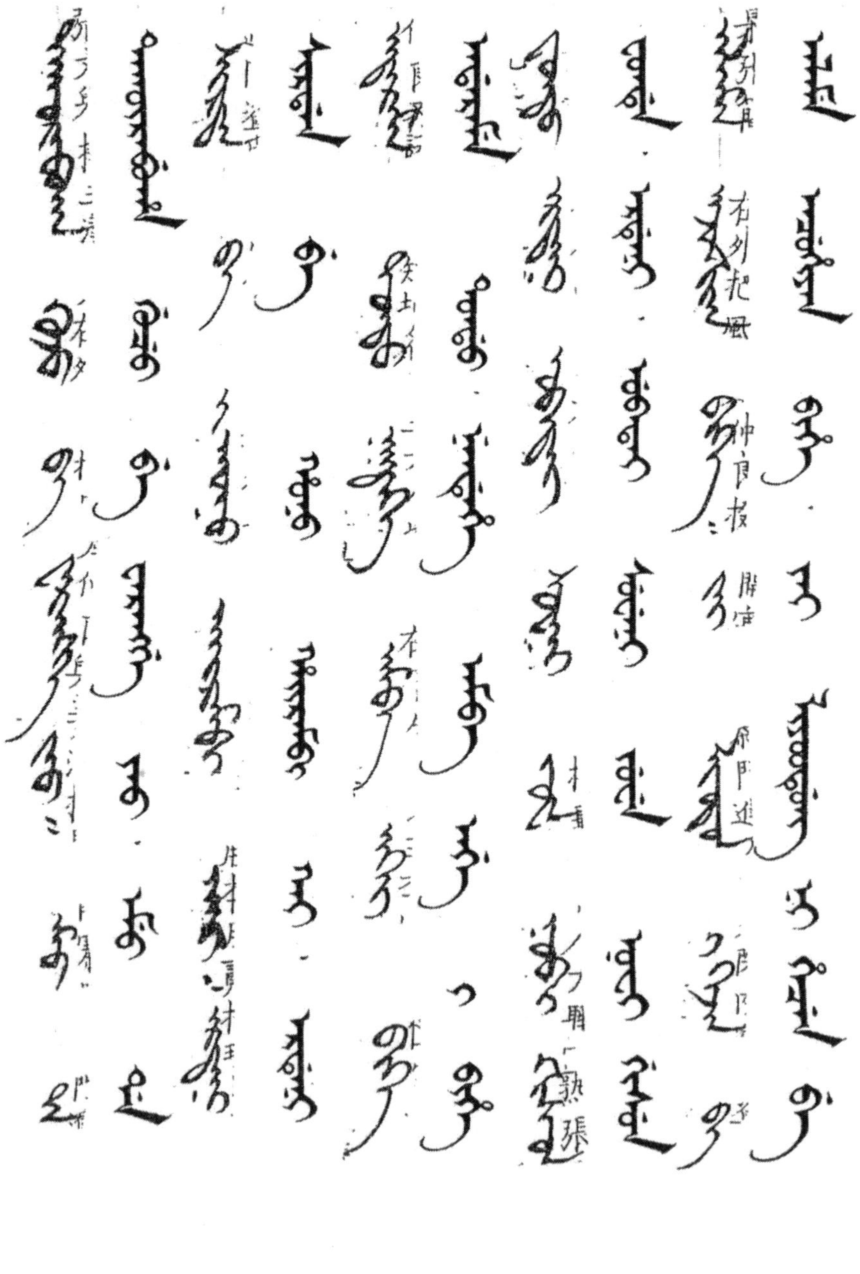

takūrabuha gucu be warangge jao. emu da sirdan be hono hairambi kai. erdeni adarame tondo, nendehe amba age i bihe fonde, erdeni, ubatai suweni juwe nofi gisun alame acuhiyan bihe, jai liyoodung ni hecen be

---

差遣如許之僚友，怎可輕易殺之耶？一矢尚且足惜也。額爾德尼怎可謂忠？先前大阿哥在世時，額爾德尼、烏巴泰，爾等二人曾進讒言，再者，攻克遼東之城，

---

差遣如许之僚友，怎可轻易杀之耶？一矢尚且足惜也。额尔德尼怎可谓忠？先前大阿哥在世时，额尔德尼、乌巴泰，尔等二人曾进谗言，再者，攻克辽东之城，

# 十一、君臣一體

gaijara de, si emhun gaihabio. tutala gūsin ulgiyan i yali be si emhun ainu gaimbi. bi emu jaka bahaci, neigen beneme uhe jembi kai. hada, yehe i beise gemu meni gucu be saikan ujirakū,

乃爾一人單獨之力取之乎？為何爾一人獨取三十頭豬之肉耶？我若得一物，尚須平分共食也。哈達、葉赫之諸貝勒，皆不善加豢養我們之僚友，

乃尔一人单独之力取之乎？为何尔一人独取三十头猪之肉耶？我若得一物，尚须平分共食也。哈达、叶赫之诸贝勒，皆不善加豢养我们之僚友，

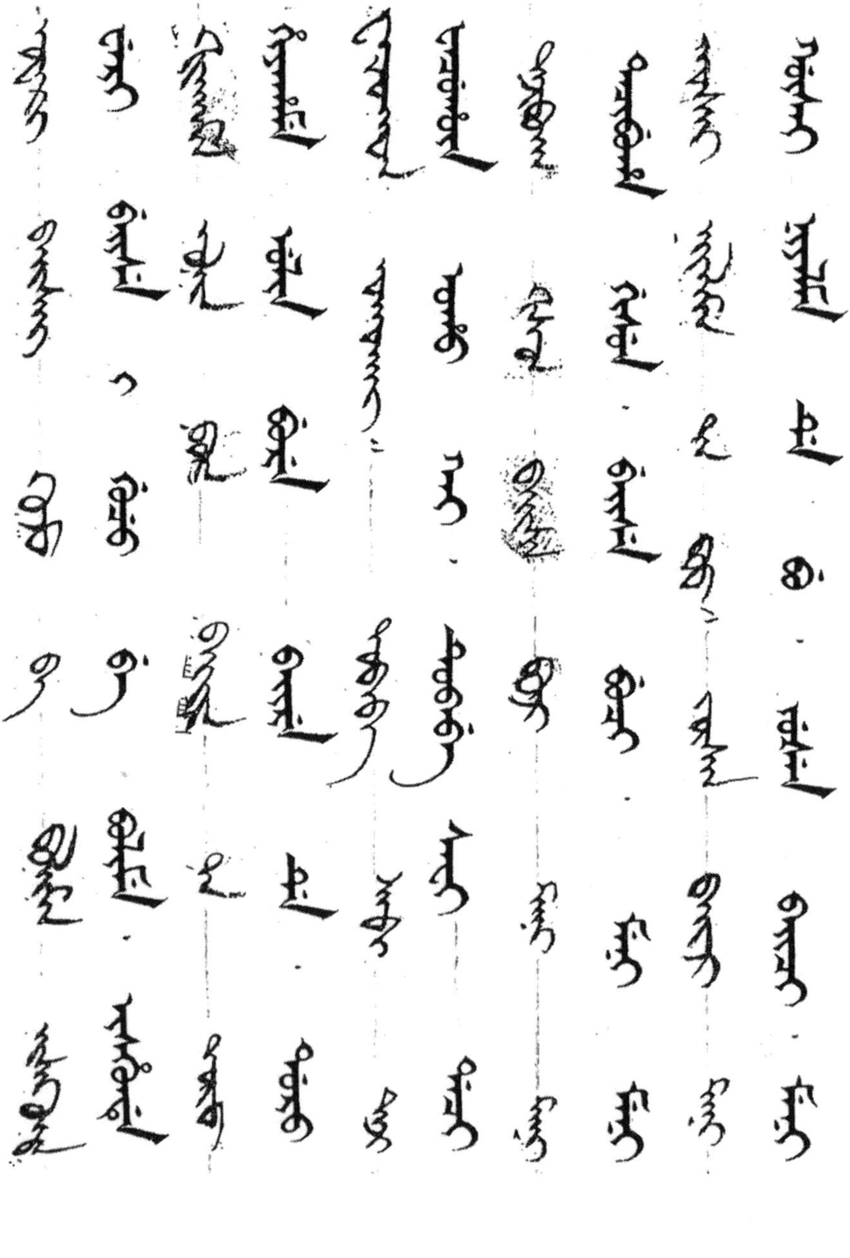

weri beise i gucu be bolime, ishunde hiyahame ulin bure baire de, doro facuhūn oho kai. tubabe safi daci tacibuha gisun, beise buci, meni meni gūsai niyalma de bu, jušen baici, meni

而利誘他人之僚友，彼此交錯授受財物，致其政紊亂也。有鑒於此，當初有訓諭：若貝勒有賞，則賞各該旗之人；諸申若有所求，

而利诱他人之僚友，彼此交错授受财物，致其政紊乱也。有鉴于此，当初有训谕：若贝勒有赏，则赏各该旗之人；诸申若有所求，

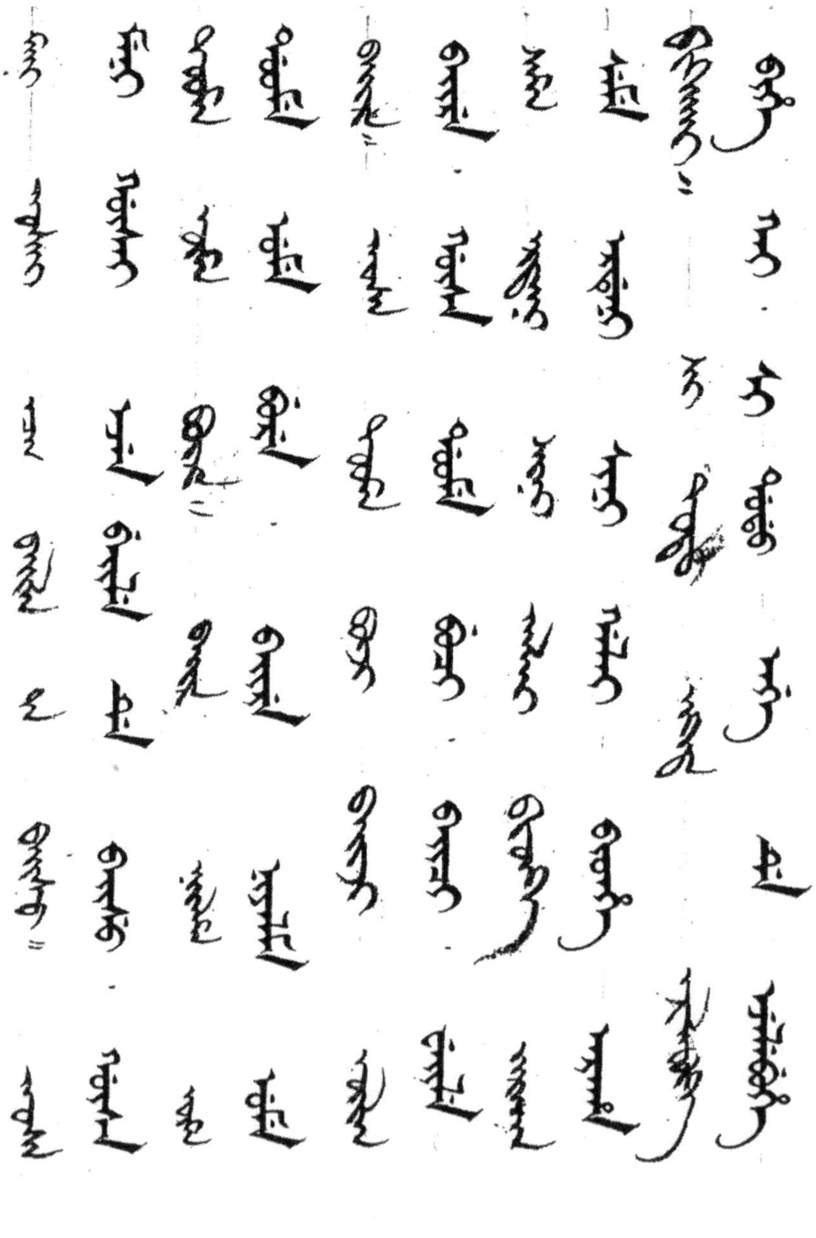

meni gūsai ejen, beile de baisu. gūsa doome ume bure, baire niyalma ume baire, gūsa doome buci baici, weile seme, erdeni sini galai bithe araha bihe kai. si dodo age de ejelebuhe

---

則求各自之旗主、貝勒。勿越旗賞賚，勿越旗索求；若越旗賞賚、索求，則罪之。』此諭由爾額爾德尼親手書之也。爾乃多鐸阿哥所轄之人，

---

则求各自之旗主、贝勒。勿越旗赏赉，勿越旗索求；若越旗赏赉、索求，则罪之。』此谕由尔额尔德尼亲手书之也。尔乃多铎阿哥所辖之人，

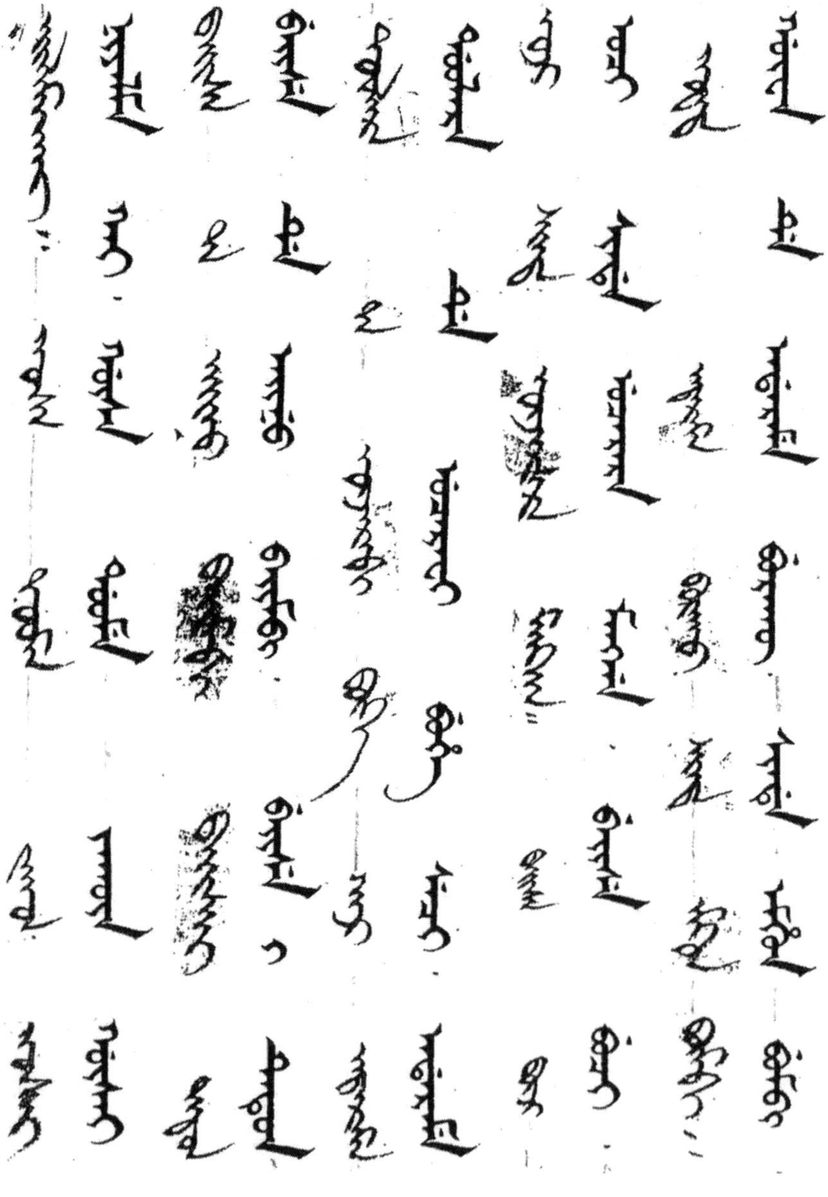

niyalma kai, gūsa doome jakūn gūsai beise de ainu baimbi. beise i tetun doolara de ucarafi buhe seci, adarame oci sinde ucarara mangga. beise buci, gūwa de adarame burakū, sinde emhun bumbi.

為何越旗索求於八旗諸貝勒？即便說恰逢諸貝勒倒換器物，何以爾能遇之？若謂諸貝勒所贈，何以不贈他人，而單獨贈爾耶？

为何越旗索求于八旗诸贝勒？即便说恰逢诸贝勒倒换器物，何以尔能遇之？若谓诸贝勒所赠，何以不赠他人，而单独赠尔耶？

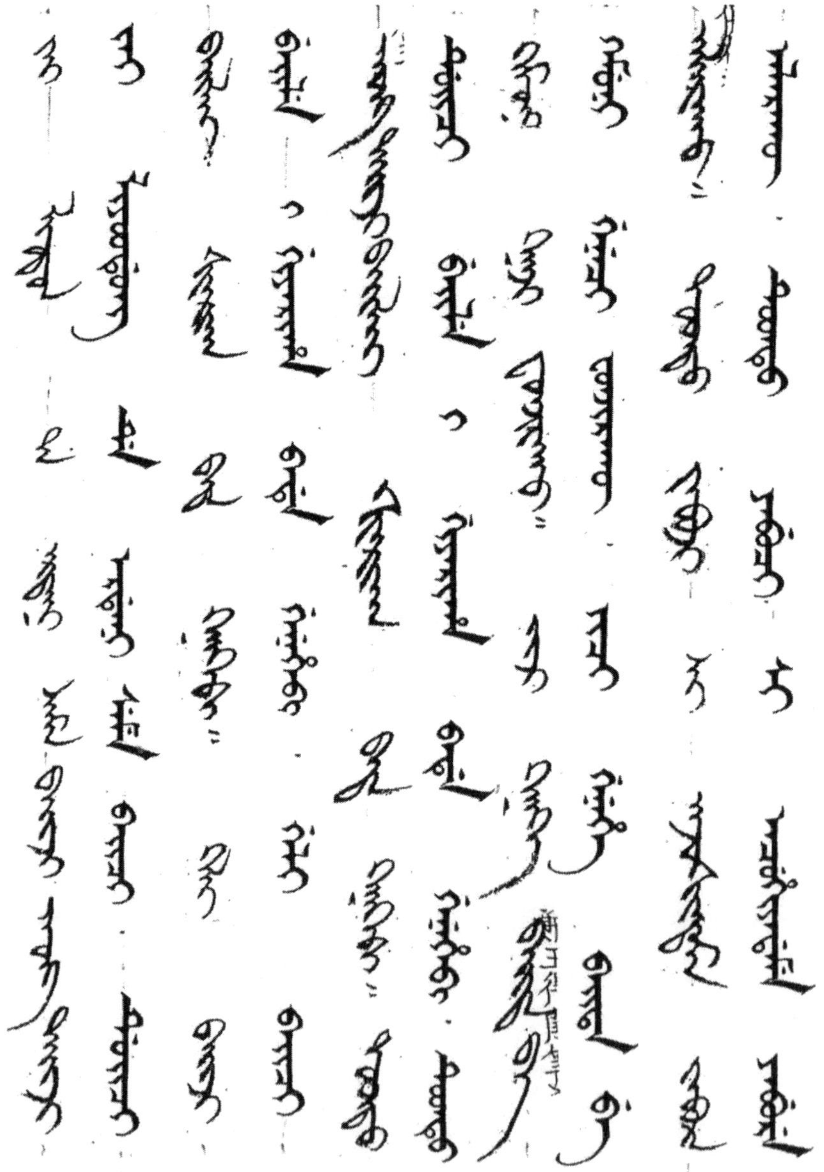

jai liyoodung de erdeni seme baici, hong taiji beilei giyariha bade genehebi, geli baici, hong taiji beilei giyariha bade genehebi. tuttu kemuni geneci fonjirakū, jici genehe baita be alarakū, tuttu yabuci, si acuhiyadame yabure

---

再者，於遼東時，尋找額爾德尼，已往洪台吉貝勒巡察之處。復尋找之，仍又往洪台吉貝勒巡察之處。如此常往而不問，歸來時不告所往之事。如此之舉，爾不過行讒罷了，

---

再者，于辽东时，寻找额尔德尼，已往洪台吉贝勒巡察之处。复寻找之，仍又往洪台吉贝勒巡察之处。如此常往而不问，归来时不告所往之事。如此之举，尔不过行谗罢了，

dabala, ainame yabumbi. yasun i sargan hada i gege sinde
orin funceme tana beneci, si mini niyaman i gese jui wakao.
minde ainu alarakū. gege, beise de alaci, beise suwe minde
ainu alahakū. suweni

------

還能怎樣？雅蓀之妻若饋送爾哈達格格二十餘顆東珠，爾
非我心腹如同親人之子乎？為何不稟告於我？格格若稟
告於諸貝勒，爾等諸貝勒為何未稟告於我？

------

还能怎样？雅荪之妻若馈送尔哈达格格二十余颗东珠，尔
非我心腹如同亲人之子乎？为何不禀告于我？格格若禀
告于诸贝勒，尔等诸贝勒为何未禀告于我？

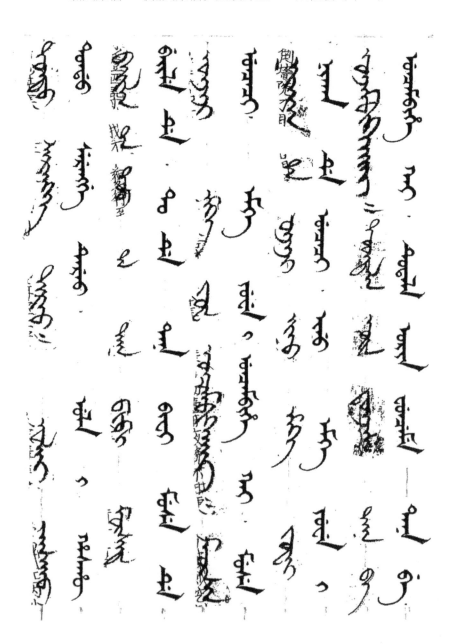

tondo serengge tereo. ula i hashū beile de, to de tana bifi muse de uncaci, emke juwe i uncambihe kai. muse nikan de uncaci, inu emke juwe i uncambihe kai. tutala orin funceme tana be,

---

此即爾等所謂之忠乎？烏拉哈斯呼貝勒有用鬥盛置之東珠，然其販售我等時，僅售一、二顆也。我等販售漢人時，亦僅售一、二顆也。如此二十餘顆之東珠，

---

此即尔等所谓之忠乎？乌拉哈斯呼贝勒有用斗盛置之东珠，然其贩卖我等时，仅售一、二颗也。我等贩卖汉人时，亦仅售一、二颗也。如此二十余颗之东珠，

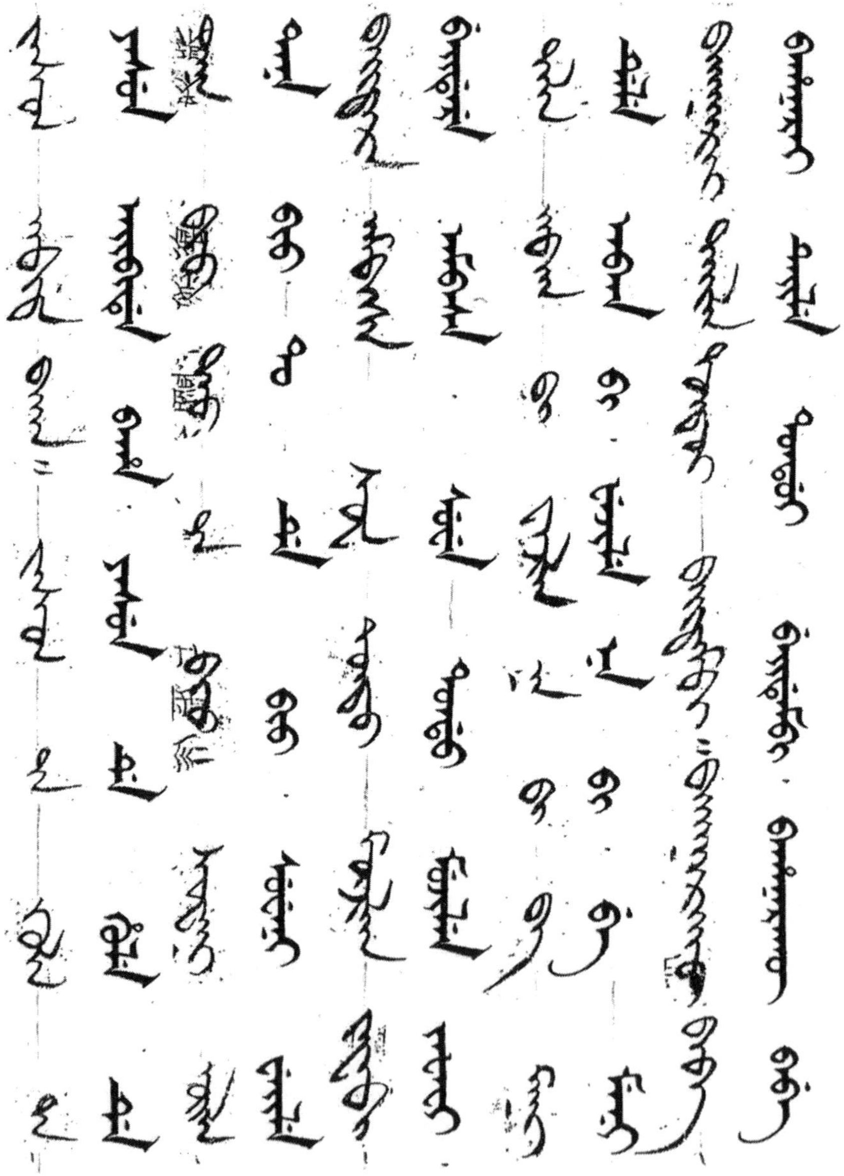

yasun aibide baha. yasun de hule de tana bio. to de bio.
suweni weile beidere ambasa, suwe tondo mujilen jafafi,
dele abka bi, fejile na bi, be meni bahanarai teile tondoi
beidembi, bahanarakū babe

不知雅蓀係從何處獲得？莫非雅蓀有用斛盛置之東珠，或用鬥盛置之東珠耶？爾等承審此案之眾大臣，爾等當持忠心。上有天，下有地，我等各自唯有盡力秉公審理；即使無能為力，

不知雅苏系从何处获得？莫非雅苏有用斛盛置之东珠，或用斗盛置之东珠耶？尔等承审此案之众大臣，尔等当持忠心。上有天，下有地，我等各自唯有尽力秉公审理；即使无能为力，

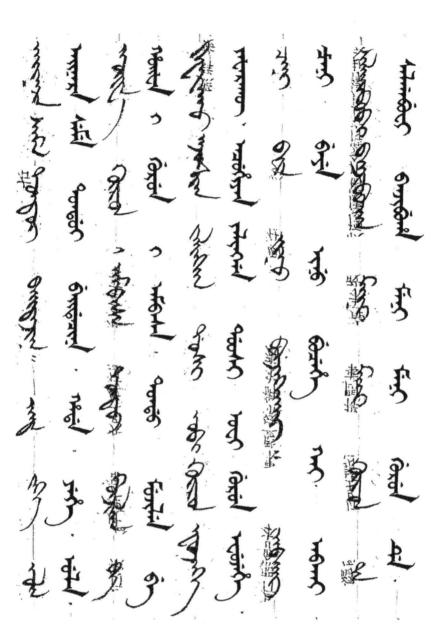

ainara seme tondoi beidecina. hada, yehe, ula, hoifa i gurun i ambasa, tondo mujilen be jafarakū, acuhiyan jalingga doosi ofi gurun efujehe, ceni beye inu bucehe kai. abkai salgabufi banjibuha meni meni gurun de,

必然秉公審理而已。哈達、葉赫、烏拉、輝發等國之眾大臣，因不持忠心，讒奸貪婪，以致國敗，彼等自身亦亡也。上天註定，天生各國，

必然秉公审理而已。哈达、叶赫、乌拉、辉发等国之众大臣，因不持忠心，谗奸贪婪，以致国败，彼等自身亦亡也。上天注定，天生各国，

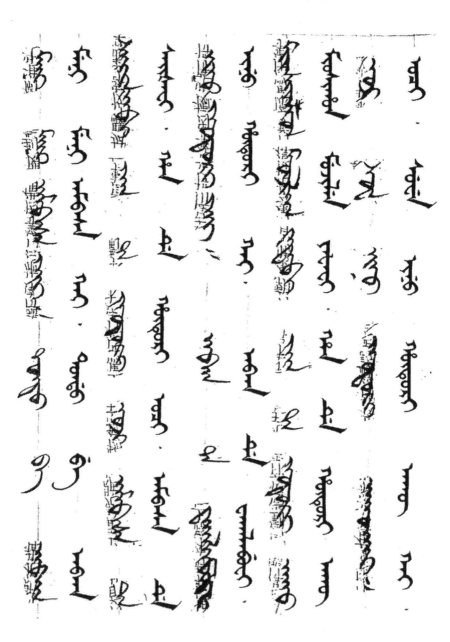

meni meni ambasa kai. tondo be abka saišafi, han de hūturi oci, ambasa de inu hūturi kai. abka de wakalabufi, miosihon mujilen jafafi, han de hūturi akū oci, suwe inu hūturi akū kai.

---

各有眾大臣也。天佑忠臣，君王若有福，則眾大臣亦有福也；天譴邪惡，君王若無福，則爾等亦無福也。

---

各有众大臣也。天佑忠臣，君王若有福，则众大臣亦有福也；天谴邪恶，君王若无福，则尔等亦无福也。

hada, ula, yehe, hoifa i gurun efujehe kai, tere gurun i
ambasa, te bio. gemu meni meni kūwaran i dorgi niyalma kai.
han efujeci, ambasa bisirakū bucembi, han hūturingga oci,
ambasa inu wesihun banjimbi kai. ambasa

哈達、烏拉、葉赫、輝發之國已亡也，該國眾大臣，今安
在？皆已為各營中之人也。君毀則臣亡，君若有福，眾大
臣亦生而尊貴也，

哈达、乌拉、叶赫、辉发之国已亡也，该国众大臣，今安
在？皆已为各营中之人也。君毁则臣亡，君若有福，众大
臣亦生而尊贵也，

# 十二、世襲罔替

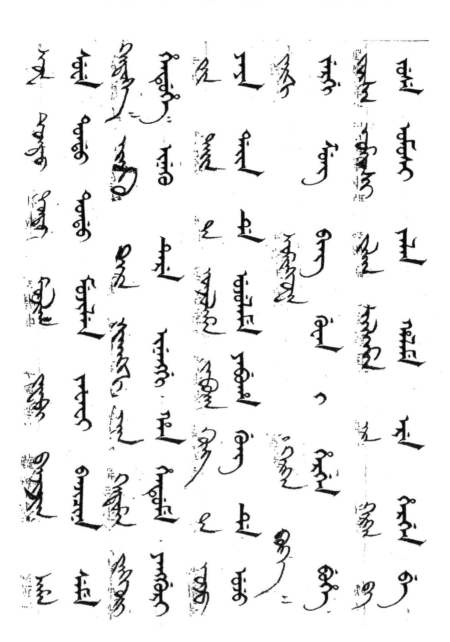

suwe tondo tondo mujilen jafafi banjicina seme henduhe. ineku tere inenggi, han hendume, yangguri yaya dain de ujulame yabuha gung de, uju jergi dzung bing guwan i hergen buhe, juse omosi jalan halame ere hergen be

望爾等眾大臣生當秉持忠心也。」是日，汗曰：「揚古利因歷次戰役皆率先立功，特授頭等總兵官之職，令其子孫世襲罔替。

望尔等众大臣生当秉持忠心也。」是日，汗曰：「扬古利因历次战役皆率先立功，特授头等总兵官之职，令其子孙世袭罔替。

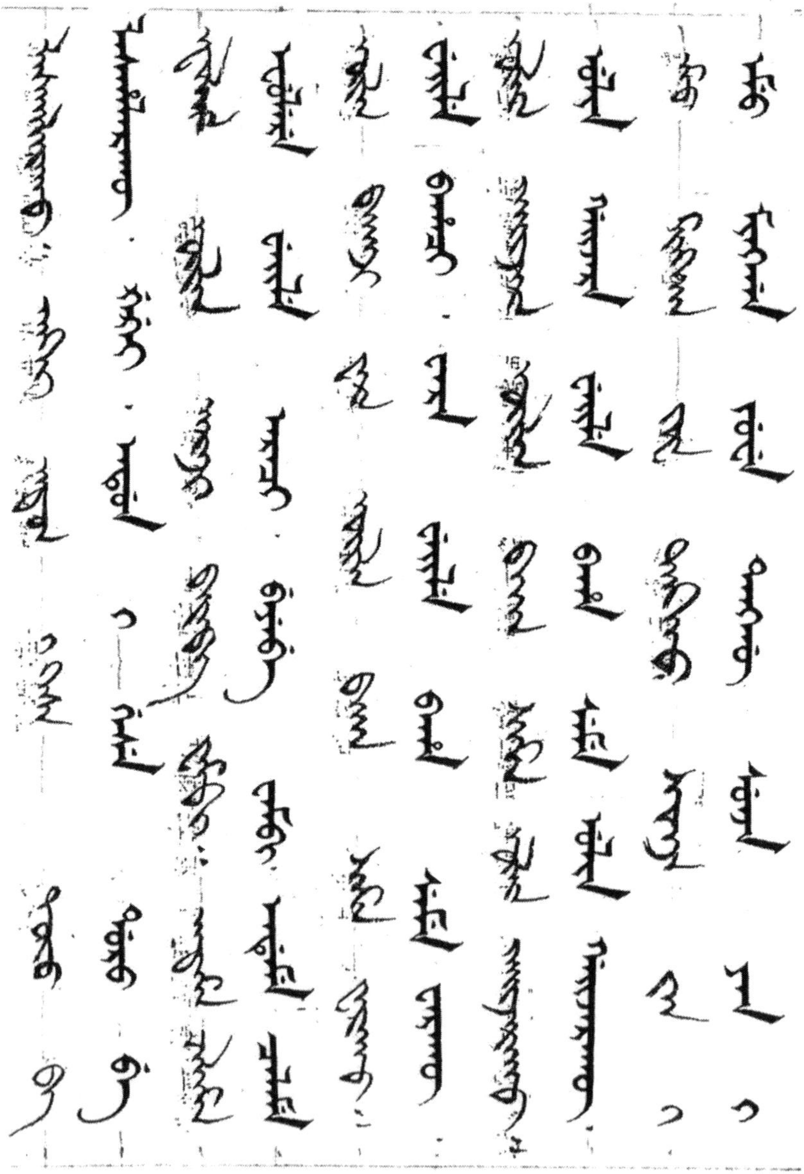

lashalarakū. g'ag'ai, adun i gese doro be efulere weile araci, beyebe wambi. endeme calame weile bahaci, wara weile baha seme warakū. ulin gaijara weile baha seme ulin gaijarakū, emu minggan juwe tanggū sunja yan i

---

若犯如同噶蓋、阿敦等敗壞政道之罪，則殺其身。倘因過失，獲犯死罪而不殺；獲籍沒財產罪，而不籍沒財產，僅以銀一千二百零五兩抵罪。」

---

若犯如同噶盖、阿敦等败坏政道之罪，则杀其身。倘因过失，获犯死罪而不杀；获籍没财产罪，而不籍没财产，仅以银一千二百零五两抵罪。」

weile waliyambi. ere gisun be bithe arafi, jakūn beise ci fusihūn, beiguwan ci wesihun monggolihabi. suwayan ejehe de bithe arafi doron gidafi yangguri de buhebi. ineku tere inenggi, šoto beile i ulin jafaha yamburu

將此諭寫於書，自八貝勒以下，備禦官以上懸掛項上，並書黃敕書鈐印賜揚古利。是日，掌管碩托貝勒財物之雅木布魯

將此諭寫于書，自八貝勒以下，備御官以上懸挂項上，并書黃敕書鈐印賜揚古利。是日，掌管碩托貝勒財物之雅木布魯

# 十三、斷獄弊訟

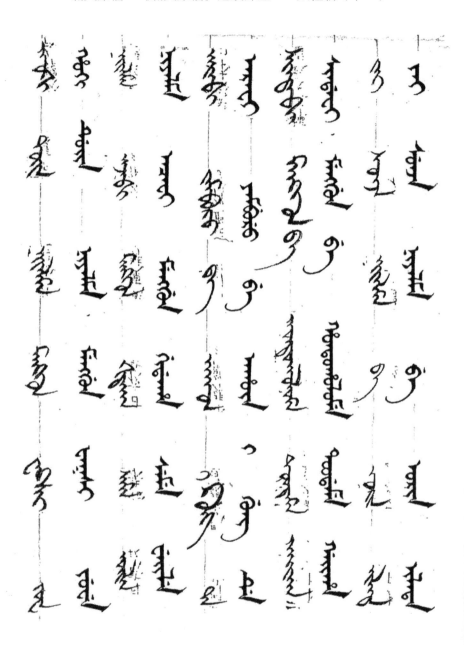

hoki duin niyalma, menggun faksi juwe niyalma acafi
menggun gidaha seme weile arafi, yamburu be ahūn i gung
de sindafi menggun be hontoholome toodame gaiha. jai
sunja niyalma be orin ilata

一夥四人，因夥同銀匠二人隱匿銀兩而治罪。雅木布魯以
其兄之功釋放，償還一半銀兩。其餘五人

一伙四人，因伙同银匠二人隐匿银两而治罪。雅木布鲁以
其兄之功释放，偿还一半银两。其余五人

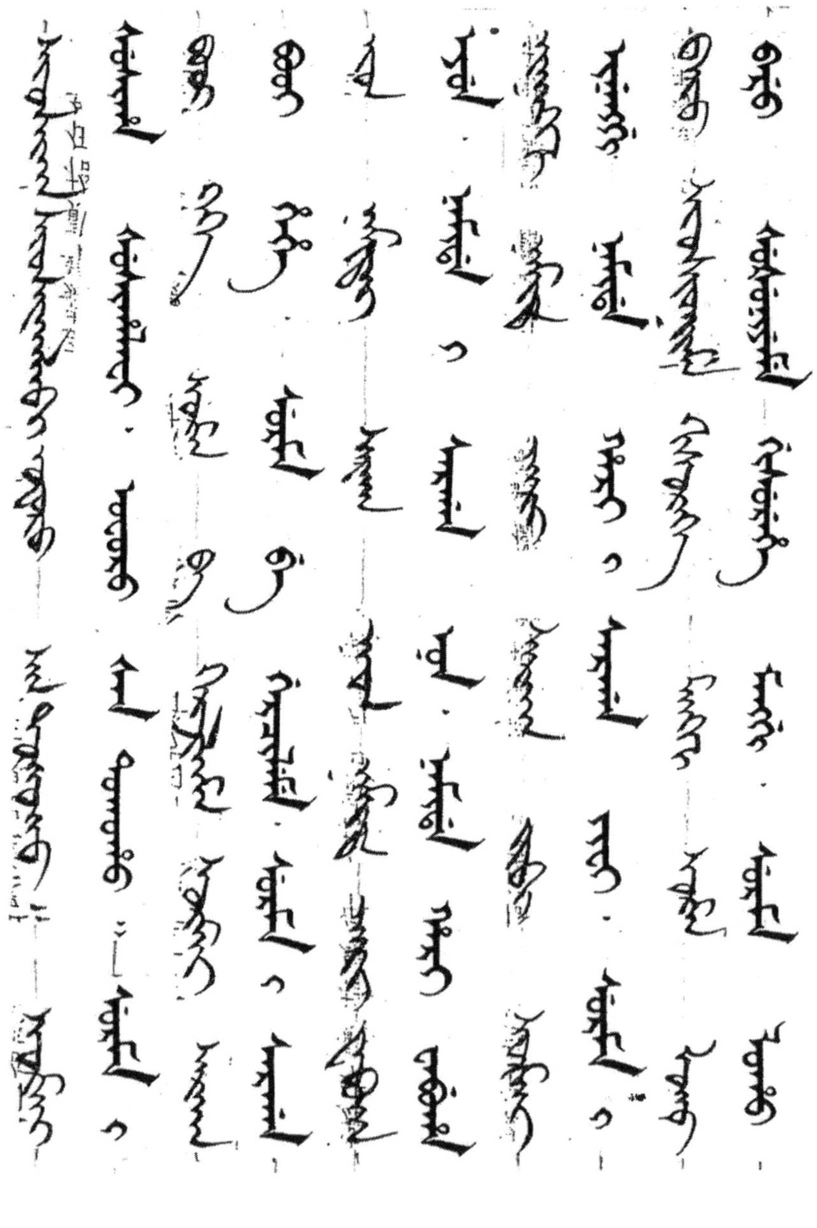

šusiha šusihalafi, oforo šan tokoho. surma i booi hehe, surma be gercileme, surma i sargan eyun, namida i sargan non, namida hari, wabuha inenggi, namida hari i sargan jifi, surma i baru šušuniyeme gisurehe manggi, surma loho

---

鞭打各二十三鞭，刺其耳、鼻。蘇爾瑪家之一婦首告蘇爾瑪稱：「蘇爾瑪之妻係姊，納米達之妻係妹，納米達哈里被殺之日，納米達哈里之妻曾前來，向蘇爾瑪耳邊低語後，

---

鞭打各二十三鞭，刺其耳、鼻。苏尔玛家之一妇首告苏尔玛称：「苏尔玛之妻系姊，纳米达之妻系妹，纳米达哈里被杀之日，纳米达哈里之妻曾前来，向苏尔玛耳边低语后，

ashafi morin yalufi genehe. tere inenggi, namida hari wabuha, amasi dobori boode jihe seme gercilere jakade, tere weile be geren du tang duilefi, han de alara jakade, han hendume, namida tokso de geneci,

---

蘇爾瑪佩刀騎馬而去。是日，納米達哈里被殺，蘇爾瑪至夜方回家。」眾都堂審理該案後稟告於汗，汗曰：「納米達倘若前往鄉屯，

---

苏尔玛佩刀骑马而去。是日，纳米达哈里被杀，苏尔玛至夜方回家。」众都堂审理该案后禀告于汗，汗曰：「纳米达倘若前往乡屯，

loho, beri, jebele ashafi ainu genehekū untuhun genehe. sini untuhun i turgunde nikan waci inu waha, surma waci inu waha, eitereci bucerengge seme. tere weile be namida de tuhebufi, surma be sindaha, gerci

---

為何不佩帶刀、弓、撒袋，卻空身而往？因爾之空身，漢人若殺亦殺之，蘇爾瑪若殺亦殺之，總之一死也。」故該案定納米達有罪，蘇爾瑪釋放，

---

为何不佩带刀、弓、撒袋，却空身而往？因尔之空身，汉人若杀亦杀之，苏尔玛若杀亦杀之，总之一死也。」故该案定纳米达有罪，苏尔玛释放，

hehe be hokobufi abai age de buhe. namida sargan be, si sargan akū efu i boode, eigen i genehe amala ainu genehe seme, šan faitafi sindaha. ice ilan de, monggo i joriktu beile i haha hehe orin emu niyalma,

休首告之婦，賜與阿拜阿哥，並責納米達之妻曰：「爾夫出走後，爾為何前往無妻姐丈之家？」乃割其耳後釋放。初三日，蒙古卓禮克圖貝勒之男女二十一人，

休首告之妇，赐与阿拜阿哥，并责纳米达之妻曰：「尔夫出走后，尔为何前往无妻姐丈之家？」乃割其耳后释放。初三日，蒙古卓礼克图贝勒之男女二十一人，

# 十四、繕寫檔冊

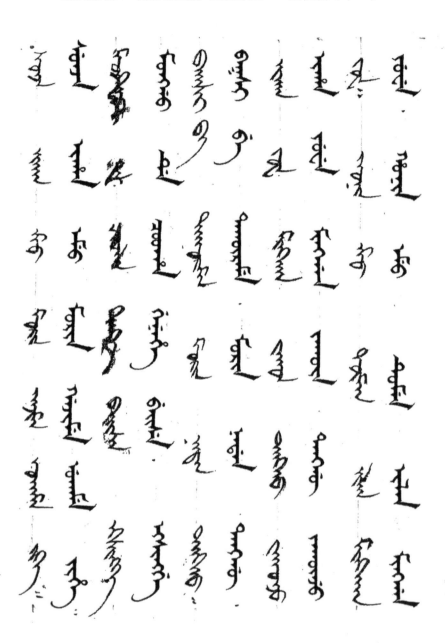

sunja ihan, emu morin, gajime ukame jihe. monggo de cooha genehe beise, eksingge baksi be takūrame, morin nadan tanggū, ihan juwe minggan jakūn tanggū jakūnju juwe, honin emu tumen ilan minggan

---

攜牛五頭、馬一匹逃來。出征蒙古之諸貝勒，遣額克興額巴克什來報已獲馬七百匹、牛二千八百八十二頭、羊一萬三千三百三十隻、

---

携牛五头、马一匹逃来。出征蒙古之诸贝勒，遣额克兴额巴克什来报已获马七百匹、牛二千八百八十二头、羊一万三千三百三十只、

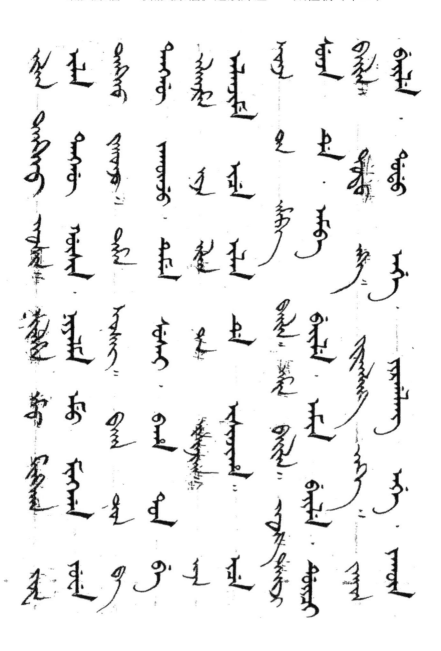

ilan tanggū gūsin, niyalma emu minggan juwe tanggū jakūnju, temen susai, baha ton be alanjime ice ilan de isinjiha. ice sunja de, amba beile, amin beile, hong taiji beile, dodo age, jirgalang age, jakūn

---

人一千二百八十名、駱駝五十隻，來報所獲之數，於初三日抵達。初五日，大貝勒、阿敏貝勒、洪台吉貝勒、多鐸阿哥、濟爾哈朗阿哥

---

人一千二百八十名、骆驼五十只，来报所获之数，于初三日抵达。初五日，大贝勒、阿敏贝勒、洪台吉贝勒、多铎阿哥、济尔哈朗阿哥

hošonggo yamun de isafi weile beidembihe. dahai, lungsi, tuša, janju, durhu, hamtu genefi, ice daise iogi sindaha hūwašan, gebakū, mafuta, jaosan, eljige, hithai, ere ninggun niyalmai jalin de daise iogi sindaci, han de

齊集八角殿審理案件。達海、龍什、圖沙、占珠、都爾瑚、哈木圖等前往問曰：「新授代理遊擊之華善、格巴庫、馬福塔、兆三、額勒吉格、希特海等六人，若授代理遊擊，

齐集八角殿审理案件。达海、龙什、图沙、占珠、都尔瑚、哈木图等前往问曰：「新授代理游击之华善、格巴库、马福塔、兆三、额勒吉格、希特海等六人，若授代理游击，

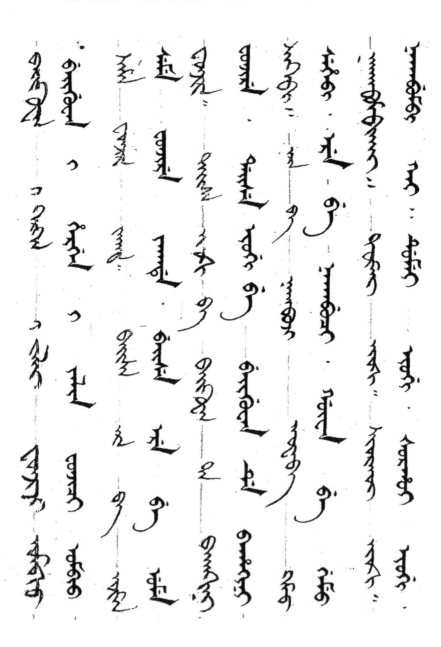

beiguwan i hergen i jalin fonjici ombio seme fonjire jakade,
beise ere be ume fonjire, daise iogi be beiguwan de bahakini
sehebi, ere be nakabuci, gūwa be gemu nakabumbi kai.
dumei iogi, šorhoi iogi,

---

則應給與備禦官之銜，可否請示於汗？」諸貝勒曰：「毋
庸請示，代理遊擊即得備禦官之銜。此若免之，則其他皆
免之也。」革都梅遊擊、碩爾惠遊擊、

---

则应给与备御官之衔，可否请示于汗？」诸贝勒曰：「毋
庸请示，代理游击即得备御官之衔。此若免之，则其它皆
免之也。」革都梅游击、硕尔惠游击、

neodei beiguwan be efulere de, han i jakade gamaha manggi,
han fonjime, hergengge niyalma de šangnara dangse, jakūn
beise de gemu bio seme fonjiha manggi, šangnara dangse
beise de akū, emu dangse seme alaha

訥德依備禦官之職，呈於汗之跟前後。汗問曰：「賞有職
銜之人檔子，八貝勒皆有乎？」告稱：「諸貝勒並無賞賜
檔子，僅此一冊。」

讷德依备御官之职，呈于汗之跟前后。汗问曰：「赏有职
衔之人档子，八贝勒皆有乎？」告称：「诸贝勒并无赏赐
档子，仅此一册。」

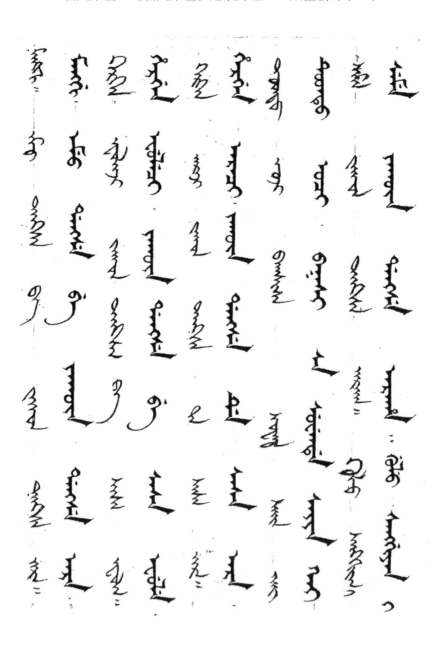

manggi, emu dangse be jakūn dangse ara. hergen efuleci, jakūn dangse be sasa efule, hergen araci, jakūn dangse de sasa ara, tuttu oci, baksi sa suwende sain kai seme, jakūn dangse araha. gulu šanggiyan i

---

稟告後,「將一冊繕寫八冊,若革職,則八冊內一齊注銷,若錄職,則八冊內一齊記注。如此,於爾等巴克什亦有裨益也。」遂繕寫八冊。

---

稟告后,「将一册缮写八册,若革职,则八册内一齐注销,若录职,则八册内一齐记注。如此,于尔等巴克什亦有裨益也。」遂缮写八册。

# 十五、貝勒凱旋

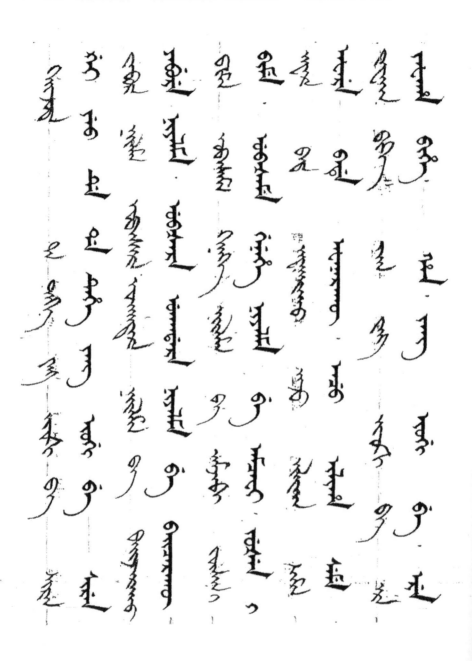

g'ai jeo de da tehe jang iogi be, siren yabure niyalma, ubašara ukandara niyalma be baicarakū bime, ubašame genehe niyalma be amcafi, jušen i afara bade afanarakū, encu iliha seme jafaha bihe. han, jang iogi be, ere

---

正白旗原駐蓋州之張遊擊，因不查奸細[13]及叛逃之人，且於追捕逋逃時，不與諸申同處攻戰，而另立一處，遂緝拏之。

---

正白旗原驻盖州之张游击，因不查奸细及叛逃之人，且于追捕逋逃时，不与诸申同处攻战，而另立一处，遂缉拏之。

---

[13] 奸細，《滿文原檔》、《滿文老檔》俱讀作 "siren (sirendufi) yabure niyalma"，意即「暗中勾通之人」。又〈簽注〉云：「蓋偵探之意」，謹此迻錄參照。

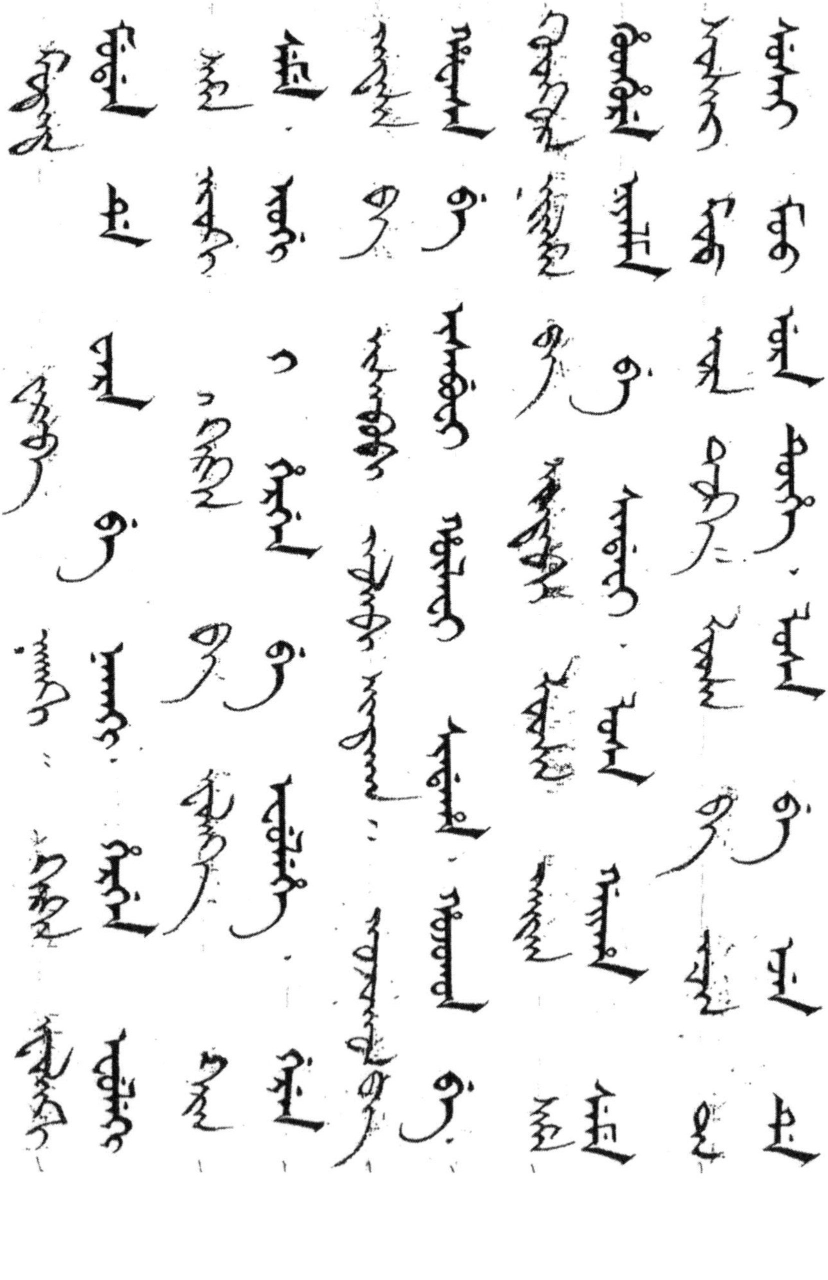

mudan de wara be nakaki, hergen efuleki seme, iogi i hergen
be efulehe, geren hafasa be isabufi hūlafi sindaha. hojokon
be, huthure niyalma be sindafi losa gaiha seme, susai moo
ura tūhe, losa be ejen de

汗此次欲免張遊擊死罪，而革其職，遂革其遊擊之職，召
集眾官員，宣諭後釋放。霍卓昆因釋放捆綁之人，並奪取
騾隻，故杖打屁股五十木，騾隻歸還原主。

汗此次欲免张游击死罪，而革其职，遂革其游击之职，召
集众官员，宣谕后释放。霍卓昆因释放捆绑之人，并夺取
骡只，故杖打屁股五十木，骡只归还原主。

buhe. han, monggo de cooha genehe beise be okdome, fujisa be gaifi dung ging hecen ci dehi ba i dubede gu ceng pu i julergi bigan de, cooha genehe beise, ambasa, coohai niyalma be acafi, dain be etehe doroi han, geren

汗為迎接出征蒙古之諸貝勒而率眾福晉，前往離東京城四十里之古城堡南郊，會見出征之諸貝勒、眾大臣及兵丁。汗以凱旋禮，

汗为迎接出征蒙古之诸贝勒而率众福晋,前往离东京城四十里之古城堡南郊,会见出征之诸贝勒、众大臣及兵丁。汗以凯旋礼,

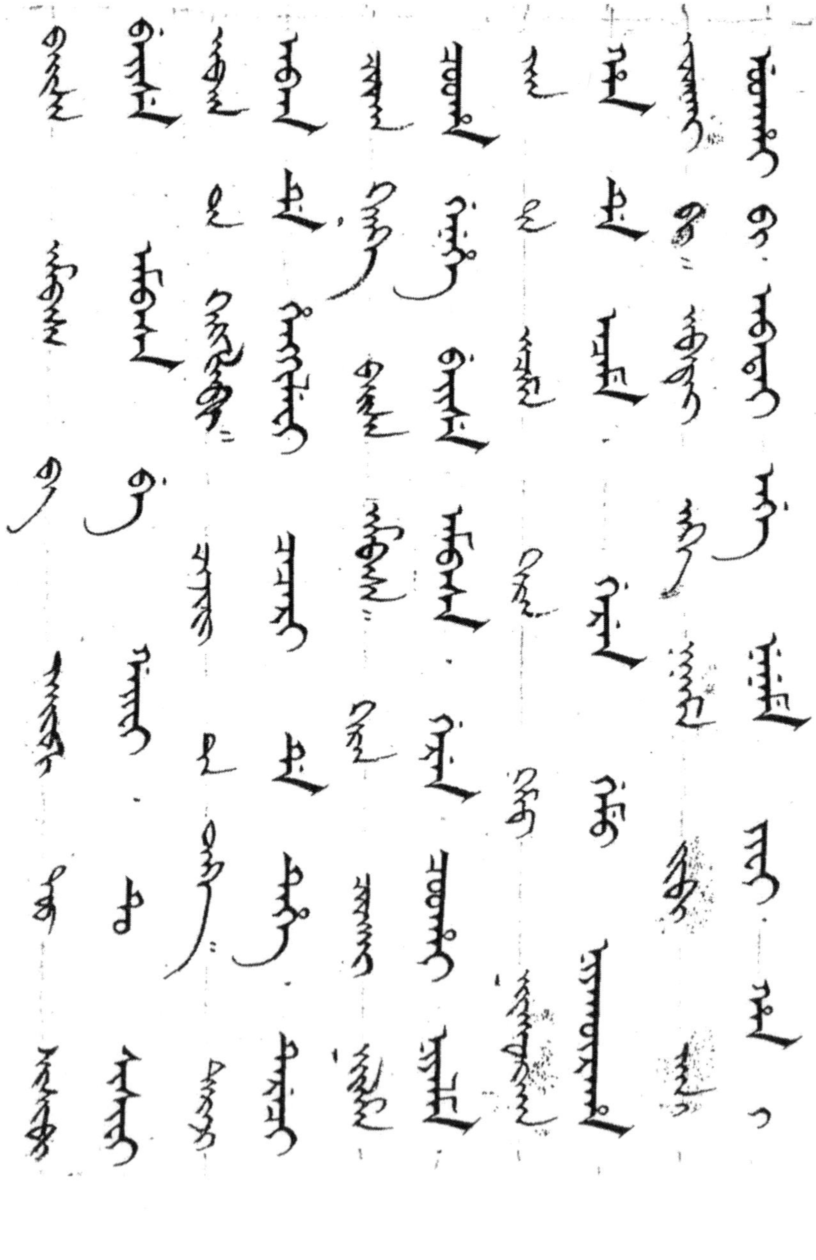

beise, ambasa be gaifi, tu sisifi abka de hengkilefi cacari de tehe. tereci cooha genehe beise, ambasa, geren coohai niyalma han de acame, geren gemu niyakūraha uthai bi. abatai age neneme jifi han i

率諸貝勒、眾大臣插纛拜天。禮畢，汗坐帳中。於是出征諸貝勒、眾大臣及眾兵丁入見汗，眾人皆就地下跪。阿巴泰阿哥先來，

率诸贝勒、众大臣插纛拜天。礼毕，汗坐帐中。于是出征诸贝勒、众大臣及众兵丁入见汗，众人皆就地下跪。阿巴泰阿哥先来，

bethei fejile niyakūrafi buhi be tebeliyehe. han ishun tebeliyehe. tereci jai degelei age, jaisanggū age, yoto age, ilhi ilhi jifi tebeliyehe. tereci cooha genehe monggo i beise, inu ilhi ilhi tebeliyeme

---

跪於汗之足下，抱膝，與汗行抱見禮[14]。繼之，德格類阿哥、齋桑古阿哥、岳托阿哥依次上前行抱見禮。其次出征蒙古諸貝勒亦依次行抱見禮。

---

跪于汗之足下，抱膝，与汗行抱见礼。继之，德格类阿哥、斋桑古阿哥、岳托阿哥依次上前行抱见礼。其次出征蒙古诸贝勒亦依次行抱见礼。

---

[14] 抱見禮，句中「抱」，《滿文原檔》寫作 "ta(e)ba(e)lija(e)ke"，《滿文老檔》讀作 "tebeliyehe"。按滿文 "tebeliyembi"，係蒙文 "teberikü" 借詞（根詞 "tebeliye-" 與 "teberi-" 相仿），意即「擁抱」。

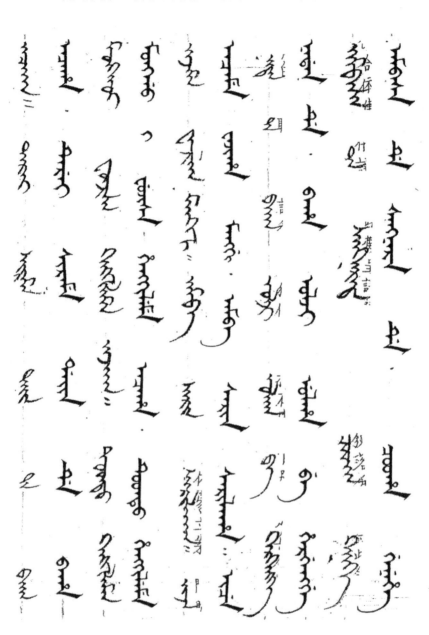

acaha. terei sirame dain de baha monggo i fujisa hengkileme acaha. tuttu hengkileme acame wajiha manggi, amba sarin sarilaha. ice nadan de, baha olji ulha be hergengge ambasa de šangnara de, cooha genehe

---

其次陣前所獲蒙古眾福晉叩見。叩見禮畢，設大筵宴之。初七日，以所俘獲之牲畜賞賜有職之眾大臣。

---

其次阵前所获蒙古众福晋叩见。叩见礼毕，设大筵宴之。初七日，以所俘获之牲畜赏赐有职之众大臣。

# 十六、重賞將領

ilaci jergi dzung bing guwan unege de emu temen, jakūn
ihan, gūsin honin buhe. eksingge, hošotu, asan, anggara, ere
duin fujiyang de ninggute ihan, orita honin buhe. uju jergi
ts'anjiyang gusantai de sunja ihan, tofohon

賞出征之三等總兵官烏訥格駱駝一隻、牛八頭、羊三十
隻。賞額克興額、和碩圖、阿山、昂阿拉等四副將牛各六
頭、羊各二十隻。賞頭等參將顧三泰牛五頭、羊十五隻，

賞出征之三等总兵官乌讷格骆驼一只、牛八头、羊三十只。
賞额克兴额、和硕图、阿山、昂阿拉等四副将牛各六头、
羊各二十只。赏头等参将顾三泰牛五头、羊十五只，

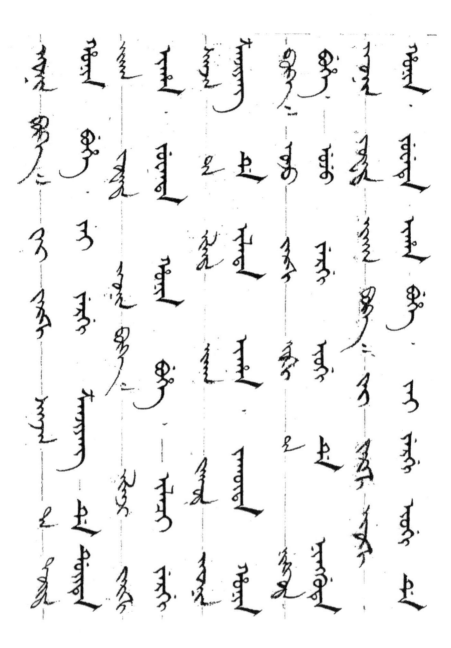

honin buhe. jai jergi ts'anjiyang de duite ihan, juwanta honin buhe. ilaci jergi ts'anjiyang de ilata ihan, jakūta honin buhe. uju jergi iogi de ninggute honin, juwete ihan buhe. jai jergi iogi de

---

賞二等參將牛各四頭、羊各十隻。賞三等參將牛各三頭、羊各八隻。賞頭等遊擊羊各六隻、牛各二頭。

---

賞二等參將牛各四头、羊各十只。賞三等參將牛各三头、羊各八只。赏头等游击羊各六只、牛各二头。

juwete ihan, sunjata honin buhe. ilaci jergi iogi de juwete ihan, sunjata honin buhe. geren beiguwan de emte ihan, duite honin buhe. bayarai kirui ejen de juwe niyalma de acan emu ihan buhe. cooha genehe monggo i

---

賞二等遊擊牛各二頭、羊各五隻。賞三等遊擊牛各二頭、羊各五隻。賞眾備禦官牛各一頭、羊各四隻。賞巴牙喇旗額真二人共牛一頭。賞出征之蒙古

---

賞二等游击牛各二头、羊各五只。賞三等游击牛各二头、羊各五只。賞眾备御官牛各一头、羊各四只。賞巴牙喇旗额真二人共牛一头。賞出征之蒙古

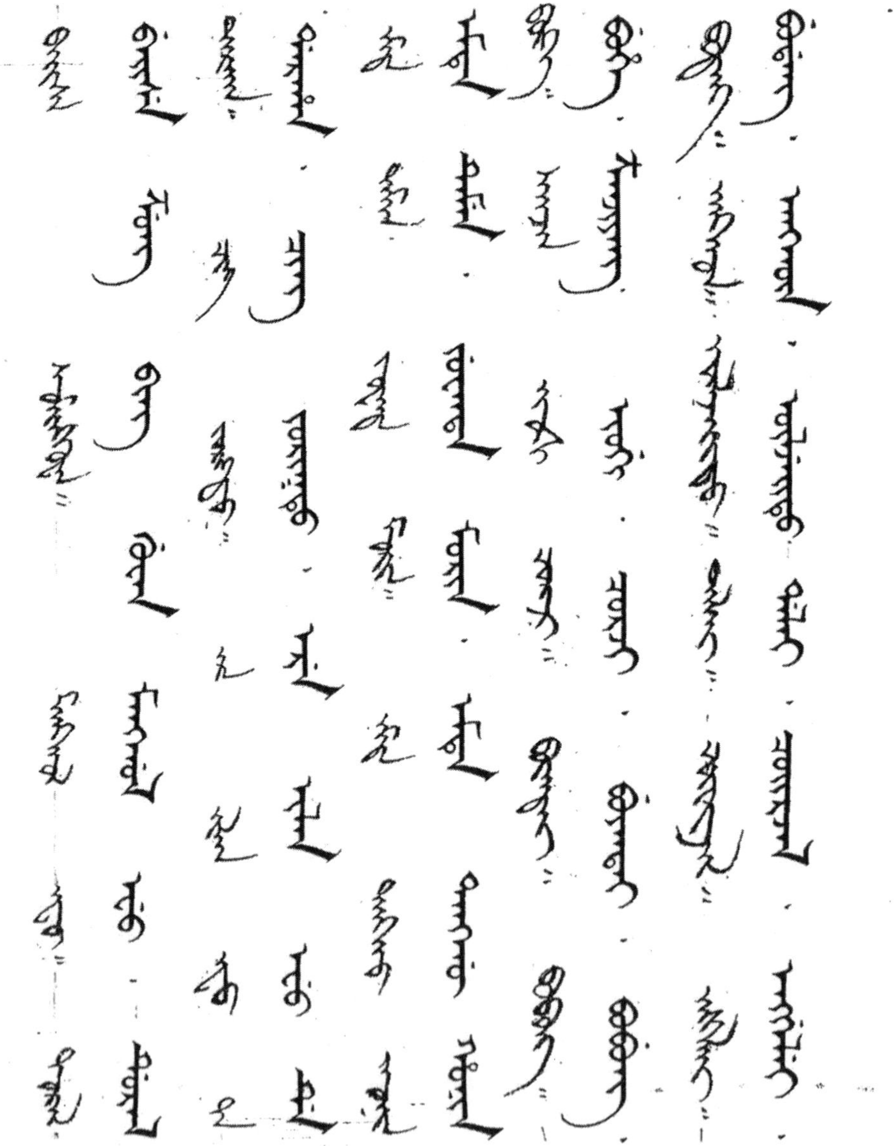

beise dzung bing guwan manggol efu, dural darhan, cing joriktu, ere ilan efu de emte temen, juwanta morin, emte tanggū honin buhe. ts'anjiyang, iogi, corji, buyantai, bobung, budang, angkūn, ūljeitu, dalai, coirjal, enggelei,

---

諸貝勒總兵官莽古勒額駙、都喇勒達爾漢、青卓里克圖等三額駙駱駝各一隻、馬各十匹、羊各一百隻。賞參將、遊擊綽爾吉、布彥泰、博瑋、布當、昂昆、鄂勒哲依圖、達賴、綽爾札勒、恩格類、

---

诸贝勒总兵官莽古勒额驸、都喇勒达尔汉、青卓里克图等三额驸骆驼各一只、马各十匹、羊各一百只。赏参将、游击绰尔吉、布彦泰、博瑋、布当、昂昆、鄂勒哲依图、达赖、绰尔札勒、恩格类、

kibtar, irincin, ese de emte temen, sunjata morin, susaita
honin buhe. beiguwan dalai, g'arma, mancin, sirhūnak, ese
de juwete morin, juwe niyalma de acan geli emu morin, orin
sunjata honin buhe. ish'ab, ajin, gunji, ere

---

奇布塔爾、伊林沁等人駱駝各一隻、馬各五匹、羊各五十
隻。賞備禦官達賴、噶爾瑪、滿欽、希爾胡納克等人馬各
二匹，又二人共馬一匹、羊各二十五隻。賞伊斯哈布、阿
金、袞濟等

---

奇布塔尔、伊林沁等人骆驼各一只、马各五匹、羊各五十
只。赏备御官达赖、噶尔玛、满钦、希尔胡纳克等人马各
二匹，又二人共马一匹、羊各二十五只。赏伊斯哈布、阿
金、衮济等

ilan niyalma de emte morin, juwete honin buhe. cooha genehekū ambasa, uju jergi dzung bing guwan, ilaci jergi dzung bing guwan de emte temen buhe. uju jergi fujiyang de juwanta honin buhe. ilaci jergi fujiyang de

---

三人馬各一匹、羊各二隻。賞未出征之眾大臣，頭等總兵官、三等總兵官駱駝各一隻。賞頭等副將羊各十隻。賞三等副將

---

三人马各一匹、羊各二只。赏未出征之众大臣，头等总兵官、三等总兵官骆驼各一只。赏头等副将羊各十只。赏三等副将

jakūta honin buhe. uju jergi ts'anjiyang de nadata honin
buhe. ilaci jergi ts'anjiyang de ninggute honin buhe. uju
jergi iogi de sunjata honin buhe. jai jergi iogi de duite honin
buhe. ilaci jergi iogi de ilata honin

---

羊各八隻。賞頭等參將羊各七隻。賞三等參將羊各六隻。
賞頭等遊擊羊各五隻。賞二等遊擊羊各四隻。賞三等遊擊
羊各三隻。

---

羊各八只。赏头等参将羊各七只。赏三等参将羊各六只。
赏头等游击羊各五只。赏二等游击羊各四只。赏三等游击
羊各三只。

buhe. beiguwan de juwete honin buhe. darhan hiya de jakūn
beise i ubu i juwan ninggute ihan, orin ninggute honin buhe.
cooha genehekū monggo beise labsihi de emu temen, orin
ihan, susai honin buhe. minggan, dorji, misai de

賞備禦官羊各二隻。賞達爾漢侍衛以八貝勒之分，即牛各
十六頭、羊各二十六隻。賞未出征之蒙古諸貝勒拉布西喜
駱駝一隻、牛二十頭、羊五十隻。賞明安、多爾濟、米賽

赏备御官羊各二只。赏达尔汉侍卫以八贝勒之分，即牛各
十六头、羊各二十六只。赏未出征之蒙古诸贝勒拉布西喜
骆驼一只、牛二十头、羊五十只。赏明安、多尔济、米赛

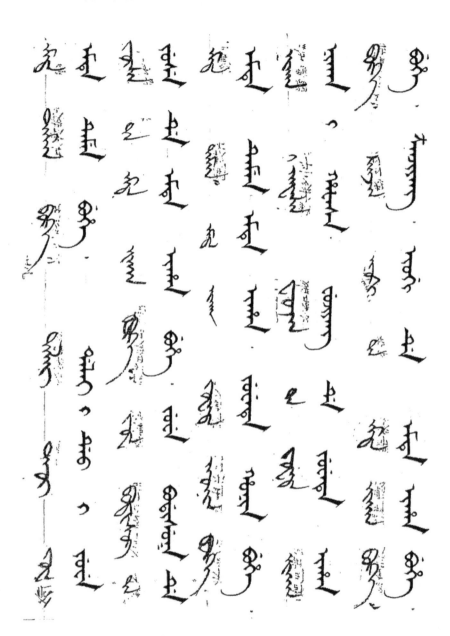

emte temen buhe. dalai i deo i juwe juse de emte ihan buhe. juwe bodisuk de emte temen, emte ihan, juwete honin buhe. nikan i hafasa, fujiyang de juwete ihan buhe. ts'anjiyang, iogi de emte ihan buhe.

駱駝各一隻。賞達賴弟之二子牛各一頭。賞二博迪蘇克駱駝各一隻、牛各一頭、羊各二隻。賞眾漢官、副將牛各二頭。賞副將牛各二頭。賞參將、遊擊牛各一頭。

骆驼各一只。赏达赖弟之二子牛各一头。赏二博迪苏克骆驼各一只、牛各一头、羊各二只。赏众汉官、副将牛各二头。赏副将牛各二头。赏参将、游击牛各一头。

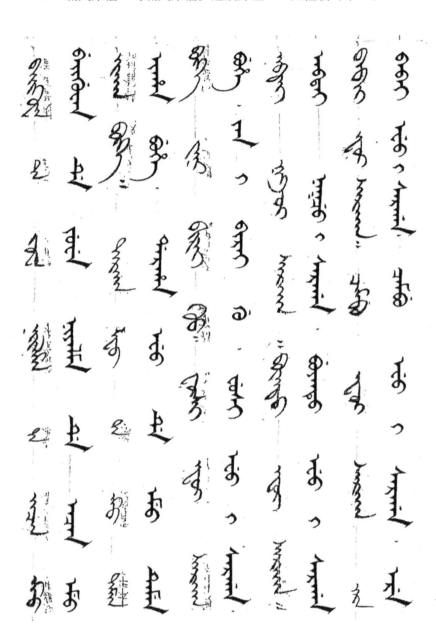

beiguwan de juwe niyalma de acan emu ihan buhe. darhan efu de emu temen buhe. jan i birai gu, fusi efu i sargan, abtai nakcu i sargan, buyantu efu i sargan, babai efu i sargan, cambu efu i sargan, ere

---

賞備禦官二人共牛一頭。賞達爾漢額駙駱駝一隻。賞瞻河姑、撫順額駙之妻、阿布泰舅舅之妻、布彥圖額駙之妻、巴拜額駙之妻、察木布額駙之妻等

---

赏备御官二人共牛一头。赏达尔汉额驸骆驼一只。赏瞻河姑、抚顺额驸之妻、阿布泰舅舅之妻、布彦图额驸之妻、巴拜额驸之妻、察木布额驸之妻等

ninggun gege de emte temen buhe. tere šangname bure inenggi abka agambihe. agara de, han hendume, monggo i banjirengge, abka de tugi banjifi agara adali kai. geren hamuk acafi cooha ilici, muse nemerhen nerefi teki.

六格格駱駝各一隻。賞賜之日，天降雨。降雨時，汗曰：「蒙古生計，猶如天空雲生而雨也。其合眾[15]而發兵，我則披簑衣而守候。

六格格骆驼各一只。赏赐之日，天降雨。降雨时，汗曰：「蒙古生计，犹如天空云生而雨也。其合众而发兵，我则披蓑衣而守候。

---

[15] 合眾，句中「眾」，《滿文原檔》、《滿文老檔》俱讀作 "geren hamuk"，係滿蒙合成語；滿文"hamuk"乃蒙文"qamuɣ"之音譯，意即「皆、全、所有、一切」。

ini hamuk cooha fakcarangge, abkai tugi fakcafi galandara adali kai. ini hamuk cooha fakcaha manggi, muse ini songko be dahame emdubei gaiki seme henduhe. daimbu dzung bing guwan i emgi bihe borjin, sele,

---

其眾兵散者，猶如天上之雲散而天晴也。其眾兵散後，我即躡其蹤，頻頻取之。」曾與戴木布總兵官同行之博爾晉、色勒、

---

其众兵散者，犹如天上之云散而天晴也。其众兵散后，我即蹑其踪，频频取之。」曾与戴木布总兵官同行之博尔晋、色勒、

# 十七、撫順額駙

tohoci, moohai, turai, ere sunja amban be sasa ainu dosirakū
seme hafan nakabuha, olji faitaha. fu jeo ba i niyalma be
ubašambi seme donjifi, cooha unggire doigon inenggi, han i
baru fusi efu jabume, fu

托霍齊、茂海、圖賴等五大臣因不一齊同進，遂罷其官，
裁其俘。聞復州地方之人欲叛，發兵之前，撫順額駙回覆
汗云：

托霍齐、茂海、图赖等五大臣因不一齐同进，遂罢其官，
裁其俘。闻复州地方之人欲叛，发兵之前，抚顺额驸回复
汗云：

jeo i ba i niyalma ubašambi serengge tašan dere. yamka
niyalma belehebi kai. tere gisun de akdafi cooha unggici,
cargi niyalma donjiha de urgun kai. tere gisun de, han jili
banjifi, fusi efu de wasimbuha bithei gisun,

「所傳復州地方之人欲叛者，虛也。或有人誣陷也。倘信
其言而發兵，則彼方之人聞之樂也。」汗怒之，頒書撫順
額駙曰：

「所传复州地方之人欲叛者，虚也。或有人诬陷也。倘信
其言而发兵，则彼方之人闻之乐也。」汗怒之，颁书抚顺
额驸曰：

lii yung fang simbe fusi de bihe fonde, emu sara getuken ulhisu niyalma seme gūniha bihe, tuttu simbe gamafi mini aisin giranggi be sinde buhe kai. mimbe abka gosime, yehe, hada, ula, hoifa, nikan i

「李永芳爾於撫順之時，曾念爾乃一通達明白之人，因此收爾，妻以我金之骨肉也。蒙天佑我，葉赫、哈達、烏拉、輝發及明之

「李永芳尔于抚顺之时，曾念尔乃一通达明白之人，因此收尔，妻以我金之骨肉也。蒙天佑我，叶赫、哈达、乌拉、辉发及明之

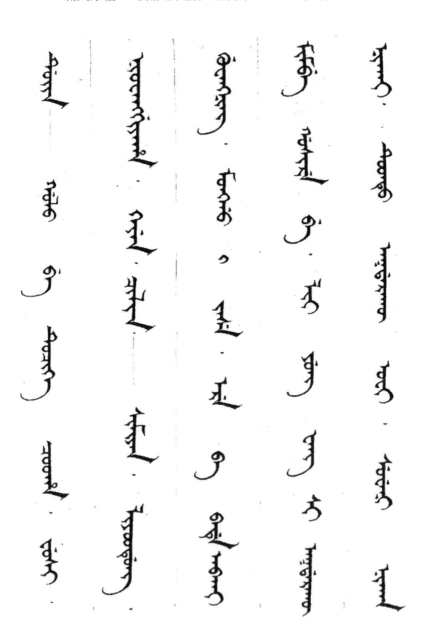

duin golo be tucike cooha, fusi, niowanggiyaha, keyen, cilin, simiyan, liyoodung, guwangning, monggo i jase, ere ba bade abkai mimbe gosire be, lii yung fang si akdarakū nikai. tuttu akdarakū ofi, suweni nikan

---

四路出兵撫順、清河、開原、鐵嶺、瀋陽、遼東、廣寧、蒙古邊塞等處，亦蒙天佑我，爾李永芳則不信也。因此不信，

---

四路出兵抚顺、清河、开原、铁岭、沈阳、辽东、广宁、蒙古边塞等处，亦蒙天佑我，尔李永芳则不信也。因此不信，

han be enteheme, mimbe taka adali gūnime, liyoodung ni ba
i nikasa emdubei ubašambi, cargi niyalmai hebei gisun i
bithe kemuni dube lakcarakū jimbi seme, bi kemuni baicara
bargiyaralaci, si nikan i ici ofi mimbe sartabume

---

故以爾等明帝為長久，而以我為暫時。遼東地方之漢人屢
欲謀叛，彼方之人屢傳密謀之書，我常欲查抄之，因爾心
向明，

---

故以尔等明帝为长久，而以我为暂时。辽东地方之汉人屡
欲谋叛，彼方之人屡传密谋之书，我常欲查抄之，因尔心
向明，

tafulambi. casi genehe de sini dolo sain, serefi waha de sini
dolo acarakū nikai. si unenggi tondo oci, cooha be
joboburakū, gurun be suilaburakū, sini beye de alifi
kadalame, ukandara ubašara be gemu ilibume,

竟諫阻我。叛逃而去，爾心始悅，一經發覺而誅之，則不
合爾之心也。倘若爾果然忠誠，兵不勞，國不擾，爾自身
接受管束，叛逃皆阻止，

竟谏阻我。叛逃而去，尔心始悦，一经发觉而诛之，则不
合尔之心也。倘若尔果然忠诚，兵不劳，国不扰，尔自身
接受管束，叛逃皆阻止，

toktobuha gurun be efuleme gajici bi ehe, sini tafulara
mujangga kai. si mimbe fusihūlame gūnici, bi donjici, sini
nikan i lio bang, hūwai fejile alban weilere niyalma bošome
bihebi, tere be inu abka gosifi han

滅其已定之國而取之，則我之過，爾之所諫果然也。爾若
輕視我，我聞得爾漢人之劉邦，曾在淮下督催役徒，彼亦
蒙天佑

灭其已定之国而取之，则我之过，尔之所谏果然也。尔若
轻视我，我闻得尔汉人之刘邦，曾在淮下督催役徒，彼亦
蒙天佑

wang han ofi banjihabi. jao taidzu giyai de guwanggušame banjifi, jai inu abka gosifi han tefi, geli emu udu jalan gurun de ejen banjihabi. ju yuwan jang ni beye, ama eme akū emhun giohame yabufi, g'o yuwanšuwai fejile

而為漢帝王；趙太祖生為市上光棍頑徒，亦蒙天佑為帝，且傳數世，為國中君主；朱元璋身無父母，孤單行乞，在郭元帥下

而为汉帝王；赵太祖生为市上光棍顽徒，亦蒙天佑为帝，且传数世，为国中君主；朱元璋身无父母，孤单行乞，在郭元帅下

takūrabume banjifi, jai inu abka gosifi han ofi, juwan ilan juwan duin jalan ohobi. si uttu nikan de dame gūnici, beging ni hecen i dorgi bira de juwe jergi senggi eyehe be, yamun yamun i ambasa sakda moo

受役使，亦蒙天佑而為帝，傳十三、十四世。爾若私通於明，但見北京城內河中流血二次，各衙門眾大臣老樹

受役使，亦蒙天佑而为帝，传十三、十四世。尔若私通于明，但见北京城内河中流血二次，各衙门众大臣老树

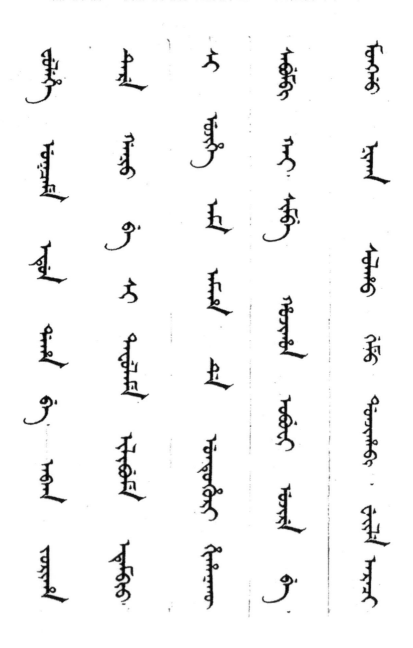

fulehe ukcame edun daha be, abka joriha tere ganio be si
tafulame ilibume etembio. si ujihe ama, amha de untuhuri
hihanakū sabumbi kai. simbe hojihon obufi ujire be, monggo,
nikan, solho gemu donjihabi, weile araci,

被風根拔，此皆天示之異象，爾能諫阻而成乎？可見爾將
辜負[16]於養身之父及岳父也。然而既養爾為婿，且蒙古、
明、朝鮮皆已聞之，倘若治罪，

被风根拔，此皆天示之异象，尔能谏阻而成乎？可见尔将
辜负于养身之父及岳父也。然而既养尔为婿，且蒙古、明、
朝鲜皆已闻之，倘若治罪，

---

[16] 辜負，《滿文老檔》讀作 "untuhuri hihanakū"，意即「徒然不值」。

gūwa gurun i niyalma mimbe inu basumbi, simbe inu basumbi seme uttu gūnime, simbe weile ararakū, ekisaka bici, bi korsome mini gūniha gisun be tucibume hendurengge ere inu. han, ice uyun de, jakūn hošonggo ordo de

恐為他國之人恥笑於我，亦恥笑於爾，念及此，故不治爾罪，默然處之，我內心愧恨，所述我由衷之言此也。」初九日，汗於八角殿

恐为他国之人耻笑于我，亦耻笑于尔，念及此，故不治尔罪，默然处之，我内心愧恨，所述我由衷之言此也。」初九日，汗于八角殿

# 十八、訓誡婦女

jan i birai gu, sargan juse be gemu isabufi tacibume henduhe bithei gisun, sargan juse ehe facuhūn banjire jalin de gasame hendurengge, abkai sindaha gurun i ejen han, doro yoso be abka de acabume dasarakūci ombio.

---

召集瞻河姑[17]、諸妻孥訓示之書面諭旨，因諸妻孥驕縱無度，故此斥之曰：「天設國君，豈可不體天意而治以道統耶？

---

召集瞻河姑、诸妻孥训示之书面谕旨，因诸妻孥骄纵无度，故此斥之曰：「天设国君，岂可不体天意而治以道统耶？

---

[17] 瞻河姑，《滿文老檔》讀作 "jan i birai gu"，滿蒙漢三體《滿洲實錄》卷七，滿文作 "han ini non ajige fujin"，漢文作「御妹阿吉格福金」；滿文本《大清太祖武皇帝實錄》卷四，作 "han ini non ajige fujin"。按瞻河姑或稱小福晉，係清太祖努爾哈齊同母妹，瞻河城主揚書之妻，卒於天命八年（1623）九月十二日。

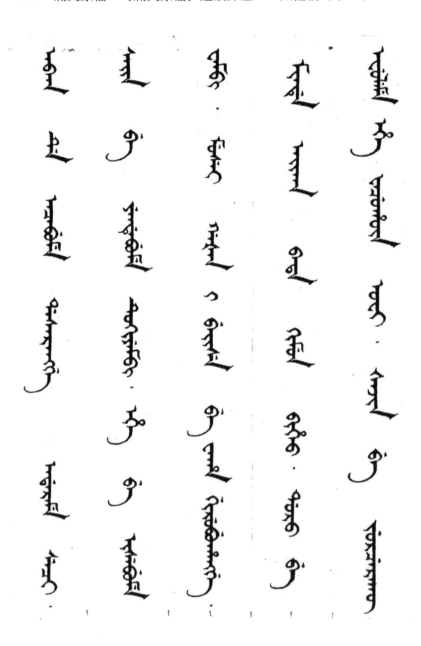

abka de acabume dasarangge adarame seci, sain be yendebume tukiyembi, ehe be isebume wambi. musei gašan i beise be waha girubuhangge, minde aika bata kimun biheo, doro be efuleme ehe facuhūn ofi, šajin be jurcerakū

何以仰體天意，懲惡揚善是也。我莊屯之諸貝勒有被殺、被辱者，與我並無仇怨，因其敗政驕縱，故不能枉法

何以仰体天意，惩恶扬善是也。我庄屯之诸贝勒有被杀、被辱者，与我并无仇怨，因其败政骄纵，故不能枉法

gamahangge tere kai. gurun ejelehe doro jafaha beise be, šajin be jurcerakū gamahangge. suweni hasaha jafaha hehe niyalma, doro be efuleme facuhūn banjici, dere banire aibi suwende anafi doro be efulembio. haha niyalma uksin

而行者此也。至於執掌國政之諸貝勒，尤不能枉法而行。爾等居家[18]之婦人，倘若敗政驕縱，豈肯徇情放縱爾等而廢法典耶？男子身披甲冑

而行者此也。至于执掌国政之诸贝勒，尤不能枉法而行。尔等居家之妇人，倘若败政骄纵，岂肯徇情放纵尔等而废法典耶？男子身披甲冑

---

[18] 居家，《滿文老檔》讀作 "hasaha jafaha"，意即「執持剪刀的」。

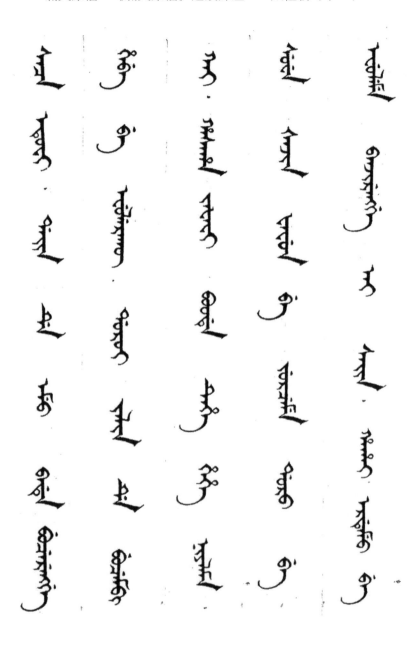

saca etufi, dain de emu bade bucerengge, hebe be efulerakū doroi jalin de bucembi kai. hasaha jafafi boode tehe hehe niyalma, suwe šajin fafun be jurceme doro be efuleme banjirengge ai sain. hahai erdemu be

---

死於一處戰場者，乃為不敗其黨，為政道死之也。爾等居家之婦人，違法敗政，生又何益？

---

死于一处战场者，乃为不败其党，为政道死之也。尔等居家之妇人，违法败政，生又何益？

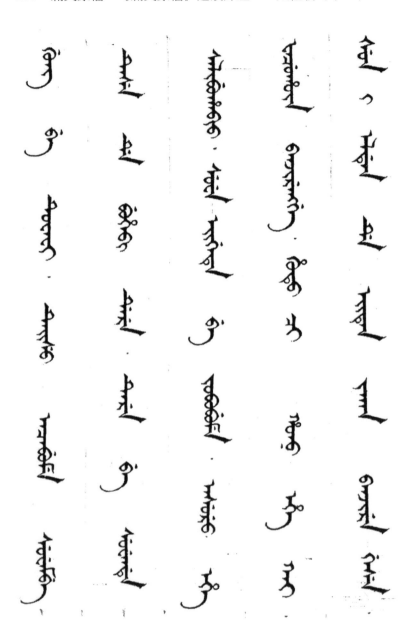

gung be tuwafi, teisu acabume suwembe tese de buhebi dere,
tere be suwende salibuhabio. suwe eigete be jobobume,
asuru ehe facuhūn banjirengge, hutu ci hono ehe kai. šun i
elden de eiten jaka banjire gese,

---

擇才德而有功之男，與爾等匹配，豈令其受制於爾等耶？
爾等竟虐待其夫，為非作歹，其惡甚於鬼魅矣。猶如萬物
皆依日光以遂其生，

---

择才德而有功之男，与尔等匹配，岂令其受制于尔等耶？
尔等竟虐待其夫，为非作歹，其恶甚于鬼魅矣。犹如万物
皆依日光以遂其生，

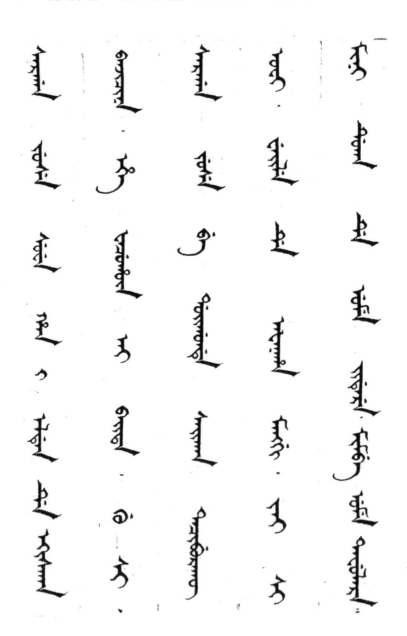

sargan juse suwe han i elden de ekisaka banjicina. ehe facuhūn ai baita, gu si, sargan juse be doigonde saikan taciburakū ofi, weile de afanaha manggi, jai si mini duka de ume jidere, mimbe ume tafulara.

爾等妻孥亦依汗之光而安其生。所有驕縱之事，皆因姑爾事先不妥善訓導妻孥之故。治罪之後，爾勿再登我門，勿來諫我。」

尔等妻孥亦依汗之光而安其生。所有骄纵之事，皆因姑尔事先不妥善训导妻孥之故。治罪之后，尔勿再登我门，勿来谏我。」

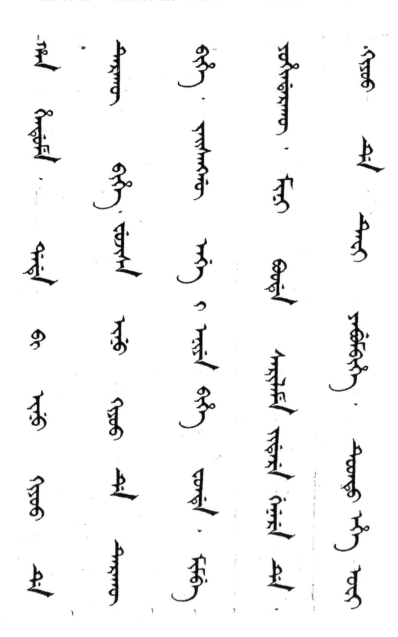

han hendume, dade bi inu kiyoo de terakū bihe, fujisa inu
kiyoo de terakū bihe. jaisanggū age i eniye bihe fonde,
mimbe yohindarakū, mini boode sarilame jidere genere de,
kiyoo de tefi yabumbihe, tuttu ehe ofi

---

汗曰：「初我亦不乘轎，眾福晉亦不乘轎。齋桑古阿哥之
母在世時，藐視我，赴我家宴，來去皆乘轎；如此為惡，

---

汗曰：「初我亦不乘轿，众福晋亦不乘轿。斋桑古阿哥之
母在世时，藐视我，赴我家宴，来去皆乘轿；如此为恶，

sui isifi bucehe. jai cergei non hooge i eniye, ini amai boode
genere jidere de, amba age i duka, ajige age i duka be huncu
de tehei duleme, mini duka de huncu de tehei dosinjiha,

---

致罪而死。又車爾格依之妹、豪格之母來往其父家時，乘
拖床經過大阿哥之門、阿濟格阿哥之門，亦乘拖床進入我
之門。

---

致罪而死。又车尔格依之妹、豪格之母来往其父家时，乘
拖床经过大阿哥之门、阿济格阿哥之门，亦乘拖床进入我
之门。

tuttu yohindarakū ehe ofi, sui isifi eigen waliyaha. ice uhete,
urusa be, beise asuru ume girubure, uhete, urusa inu nenehe
sui isika fujisai gese u jalangga niyalma be asuru ume
yohindarakū ojoro.

---

因其藐視之惡行，以致獲罪，被其夫遺棄。諸貝勒切勿羞
辱新弟婦、子媳等，眾弟婦、子媳亦勿似先前致罪之福晉
等藐視長者[19]。

---

因其藐視之惡行，以致获罪，被其夫遗弃。诸贝勒切勿羞
辱新弟妇、子媳等，众弟妇、子媳亦勿似先前致罪之福晋
等藐视长者。

---

[19] 長者，《滿文老檔》讀作 "u jalangga"；《無圈點字書》卷一（法
國國圖藏本，重出同此）， "u"字頭 "ū jalangka"條，寫作 "u
jalangga, uthai ungga jalangga inu"(9a)；漢譯：「u jalangga，即是長
輩。」

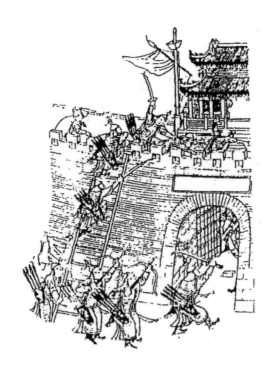

# 十九、沿邊築城

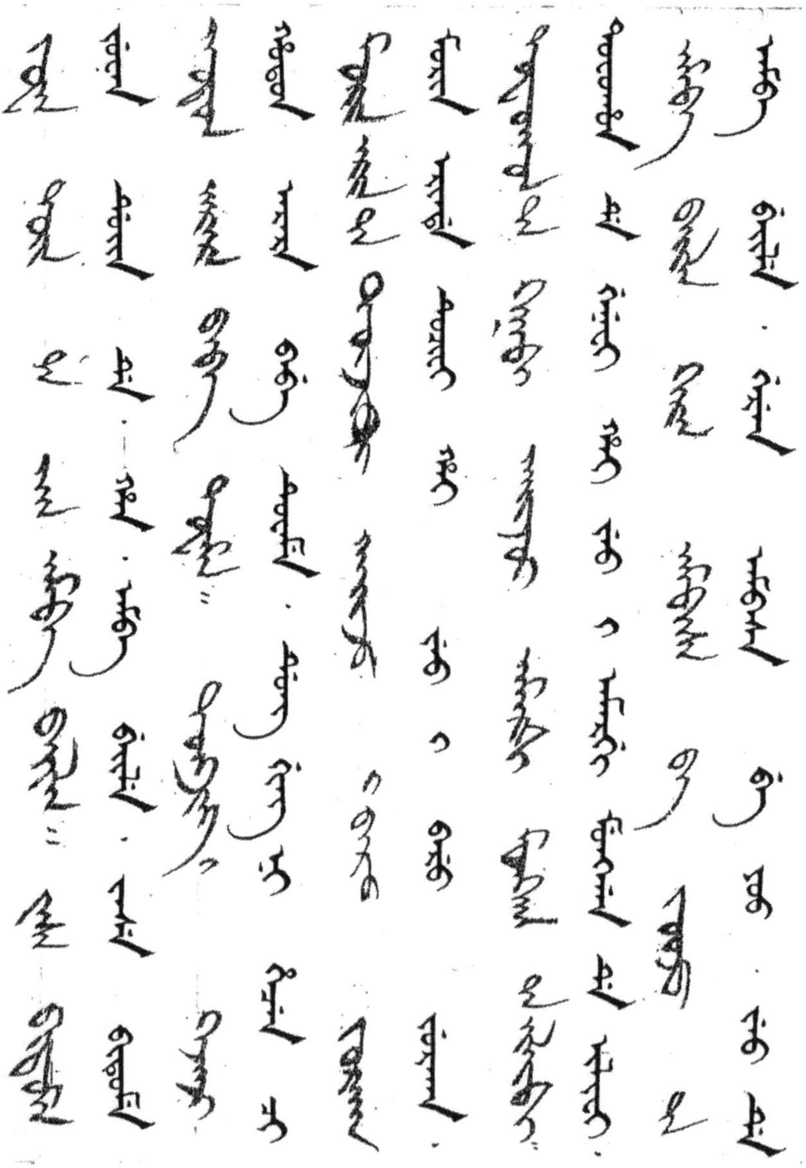

juwan duin de, han, amba beile, jase bitume hoton arara babe
tuwame, dung ging ni hecen ci morin erinde tucifi hai jeo i
baru juraka. tofohon de genefi hai jeo i amargi munggan de
ilifi, amba beile, geren ambasa be yoo jeo de

---

十四日，汗與大貝勒勘察沿邊築城之處，午時出東京城，
向海州進發。十五日抵達，宿於海州之北崗。大貝勒遣眾
大臣

---

十四日，汗与大贝勒勘察沿边筑城之处，午时出东京城，
向海州进发。十五日抵达，宿于海州之北岗。大贝勒遣众
大臣

hoton arara babe futala seme unggihe. hai jeo i hecen i
guwali be daburakū futalafi, duin dere uhereme juwe
minggan dehi da, hecen i dorgi munggan be futalafi ninggun
tanggū da ilibuha. juwan ninggun de amasi

---

丈量耀州築城之地。丈量海州城，除關廂不計外，四圍合
計二千零四十庹，丈量城內崗地，六百庹。十六日

---

丈量耀州筑城之地。丈量海州城，除关厢不计外，四围合
计二千零四十庹，丈量城内岗地，六百庹。十六日

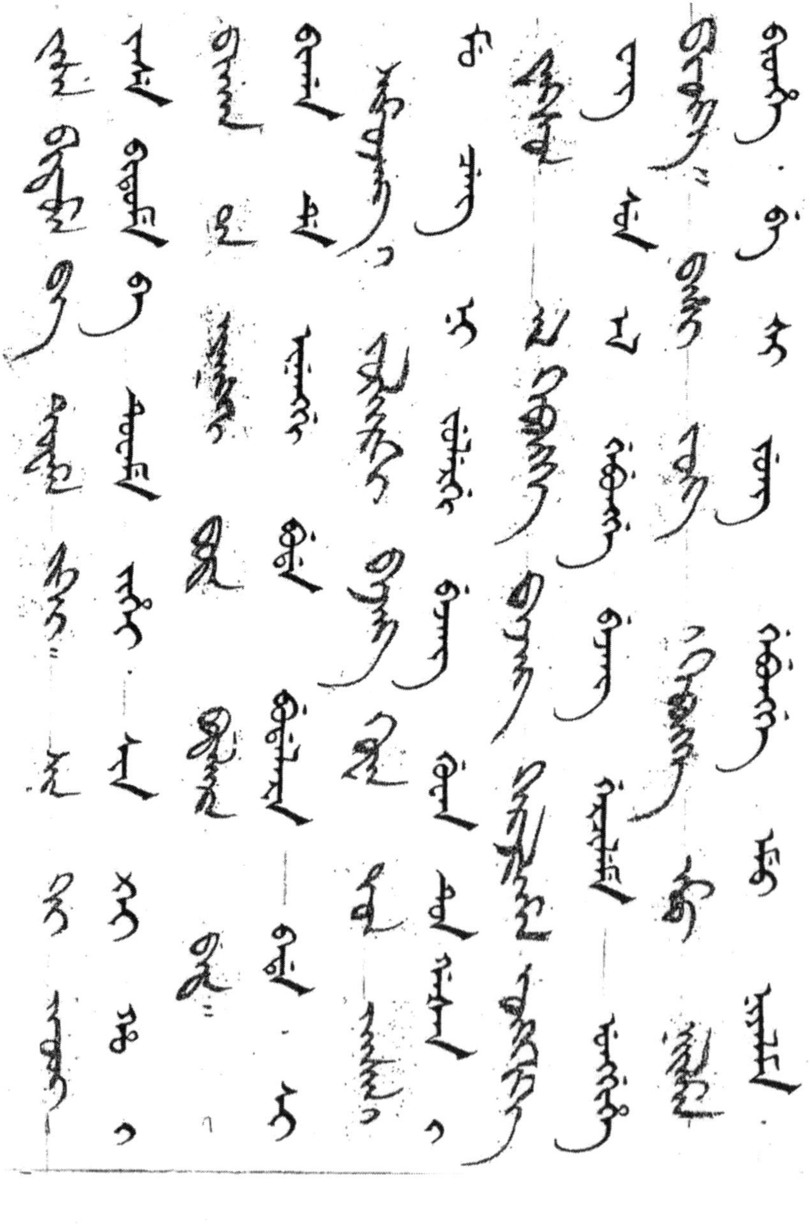

jase bitume ba tuwame jihei, sin k'ai ho i bigan de inenggi buda budalara bade, si mu ceng ni julergi bejang guwan tun gašan i wang sun el gebungge bejang gercileme unggihe bithe, be ši jung gebungge emu niyalma,

沿邊返回勘察地方。途中於新開河郊野進午餐地方，有析木城南百長官屯有名叫王孫兒之百長上書，首告名叫白世忠者一人，

沿边返回勘察地方。途中于新开河郊野进午餐地方，有析木城南百长官屯有名叫王孙儿之百长上书，首告名叫白世忠者一人，

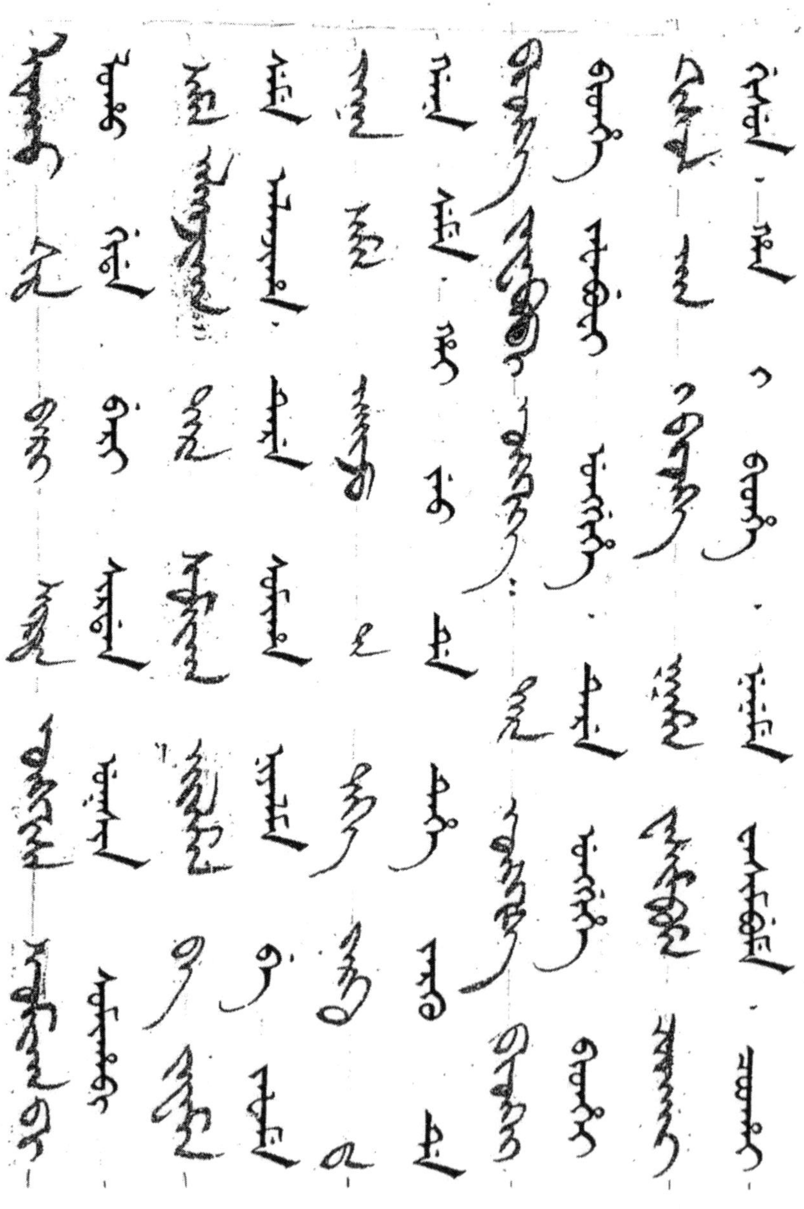

loho, gida, beri, sirdan, uksin somihabi seme alanjiha. tere somiha niyalma be jafame gana seme, hai jeo de tehe jarku de bithe jafabufi unggihe. tere unggihe bithei gisun, han i bithe, neneme wasimbume, coohai

---

藏匿刀、槍、弓、箭、甲。遂令逮捕藏匿之人，並遣駐海州之扎爾庫持書前往。該書曰：「前頒汗之書：

---

藏匿刀、枪、弓、箭、甲。遂令逮捕藏匿之人，并遣驻海州之扎尔库持书前往。该书曰：「前颁汗之书：

niyalmai jafara agūra be gemu meni meni kadalara hafan i
boode karmafi asara. tulergi hecen pu, gašan gašan i baisin
irgen coohai agūra be gemu tucibufi benju. benjirakū asarafi
gūwa gercileme alanjiha de, ujen

『兵丁所執器械，皆交與各該管官之家保藏；外城堡、各
莊屯之平民所有兵械，亦皆拿出送交。收藏不交者，一經
他人首告時，

『兵丁所执器械，皆交与各该管官之家保藏；外城堡、各
庄屯之平民所有兵械，亦皆拿出送交。收藏不交者，一经
他人首告时，

weile arambi seme henduhekū biheo. han i gisun be jurceme be ši jung coohai agūra be ainu somimbi. uksin be asarafi si jai atanggi etuki sembi. si mu ceng ni beiguwan be ši jung be jafafi

---

則治以重罪。』此諭未曾言乎？白世忠為何違悖汗諭私藏兵械。所藏之甲，爾欲再幾時穿戴？遂令析木城備禦官逮捕白世忠，

---

則治以重罪。』此谕未曾言乎？白世忠为何违悖汗谕私藏兵械。所藏之甲，尔欲再几时穿戴？遂令析木城备御官逮捕白世忠，

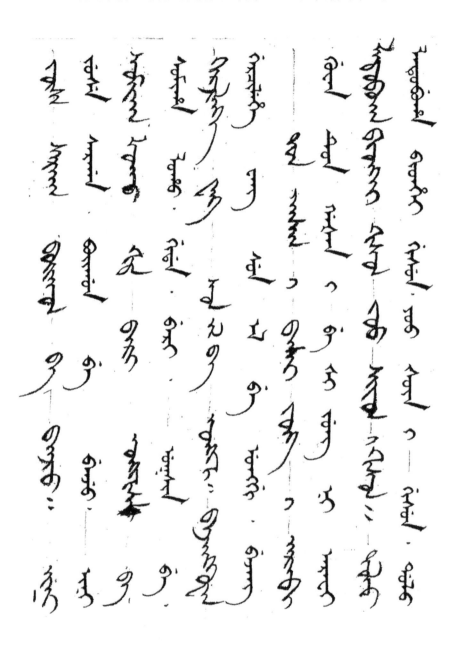

juse sargan boigon be benju. ini somiha loho, gida, beri, uksin be, gercilehe wang sun el be unggi. bejang guwan tun gašan i be ši jung ni arafi latubuha bithei gisun, yoo šūn i gisun, dolo

並將其妻孥戶口解來。其所藏匿之刀、槍、弓、甲等，著送往首告之王孫兒處。至於百長官屯白世忠所書之告示，堯舜之言，

并将其妻孥户口解来。其所藏匿之刀、枪、弓、甲等，着送往首告之王孙儿处。至于百长官屯白世忠所书之告示，尧舜之言，

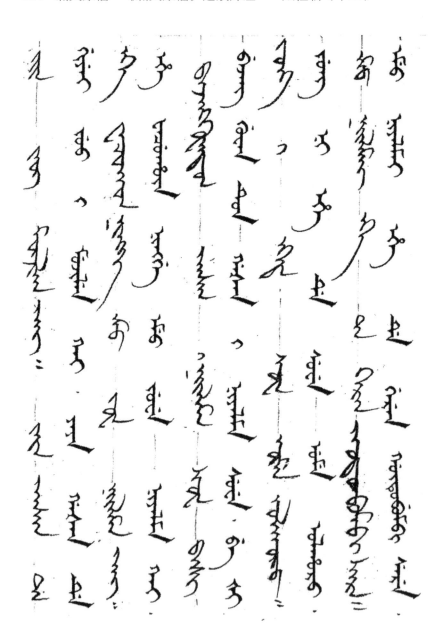

giyei juo i mujilen kai. yaya gašan de ehe facuhūn ningge emu juwe niyalma kai. bejang guwan tun gašan i niyalma suwe, be ši jung ni ehe de suwe ume olhoro. emu niyalmai ehe de geren gūtubumbi sere,

內藏桀紂之心也。凡屯中暴亂者，不過一、二人也。百長官屯莊屯之人，爾等勿懼於白世忠之惡行。一人之惡行玷辱[20]眾人也，

內藏桀紂之心也。凡屯中暴乱者，不过一、二人也。百长官屯庄屯之人，尔等勿惧于白世忠之恶行。一人之恶行玷辱众人也，

---

[20] 玷辱，《滿文原檔》寫作"kotobombi"，《滿文老檔》讀作"gūtubumbi"。按滿文"gūtubumbi"，係蒙文"ɣutuɣaqu"借詞（根詞"gūtubu-"與"ɣutuɣa-"相仿），意即「羞辱、玷辱」。

# 二十、滿蒙聯姻

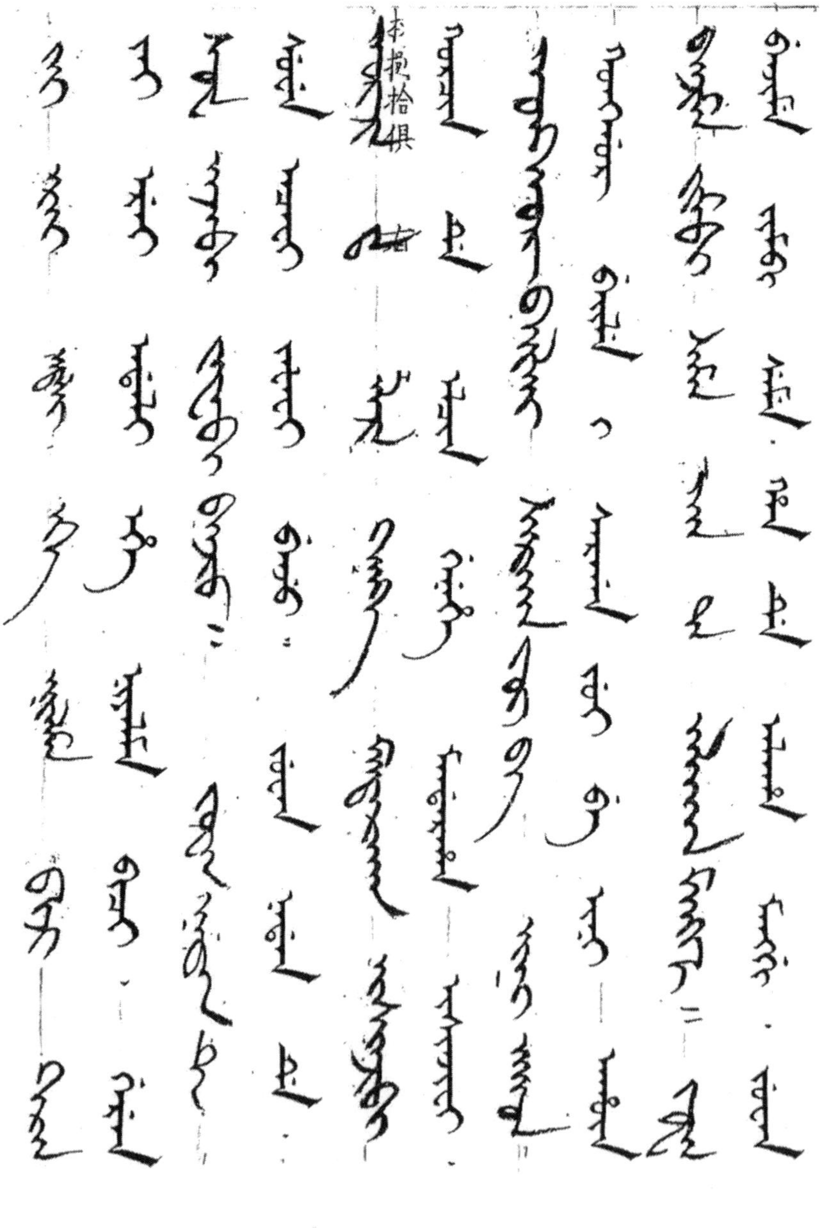

jai erei adali ehe niyalma bici, geren suwe acafi jafafi benju.
juwan nadan de, korcin de elcin genehe mandarhan isinjifi,
konggor beile i sargan jui be ini ahūn benjime jimbi seme,
han de alaha manggi, juwan

再遇類此惡人，爾眾當合力執送。」十七日，前往科爾沁
之使者滿達爾漢返回，稟告汗云：「孔果爾貝勒之女，將
由其兄送來。」稟告後，

再遇类此恶人，尔众当合力执送。」十七日，前往科尔沁
之使者满达尔汉返回，禀告汗云：「孔果尔贝勒之女，将
由其兄送来。」禀告后，

jakūn de, jaisanggū age, dodo age, soohai dzung bing guwan, darhan fujiyang, han i bayarai hiya sabe gaifi, ninju ba i dubede juwe ihan wame okdoko. tere inenggi sucufi gajiha angga beile i sargan, sangtu i juwe

十八日，齋桑古阿哥、多鐸阿哥、索海總兵官、達爾漢副將率汗之巴牙喇侍衛等，於六十里外宰牛二頭相迎。是日，賞賜陣前被俘昂阿貝勒之妻、桑圖之二妻、

十八日，斋桑古阿哥、多铎阿哥、索海总兵官、达尔汉副将率汗之巴牙喇侍卫等，于六十里外宰牛二头相迎。是日，赏赐阵前被俘昂阿贝勒之妻、桑图之二妻、

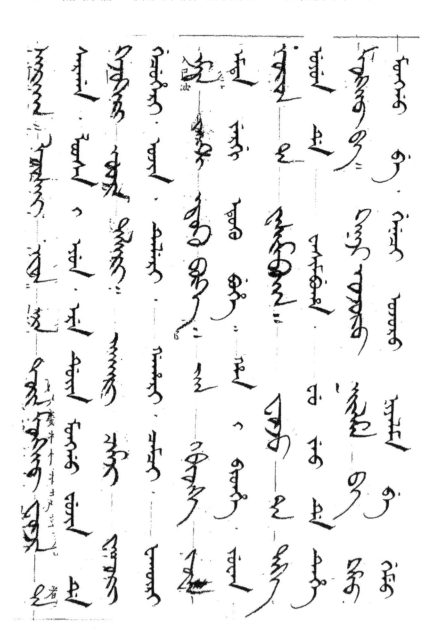

sargan, loosa i eyun, ere duin monggo fujin de gecuheri, ojin, teleri, gahari, camci, fakūri emte jergi etuku buhe. han i bithe, juwan uyun de wasimbuha, fu jeo de tehe monggo be, geneci ojoro niyalma be gemu

勞薩之姐等四蒙古福晉，以蟒緞、女朝褂、女朝衣、布衫、襯衣、褲等衣物各一套。十九日，汗頒書諭曰：「駐復州之蒙古，若係可往之人

劳萨之姐等四蒙古福晋，以蟒缎、女朝褂、女朝衣、布衫、衬衣、裤等衣物各一套。十九日，汗颁书谕曰：「驻复州之蒙古，若系可往之人

ginjeo de unggi, jeku bisire bade gurime yabukini. geneci
ojorakū ehe sakda niyalma be, g'ai jeo i juwe tanggū susai
hule jeku de teisuleme unggi. orin de, hūng ts'oo gašan de
tehe ušan beiguwan i

---

皆遣往金州，遷至有糧之地。其他不可前往老弱之人，則
以蓋州之二百五十石糧分贍之。」二十日，駐紅草屯吳善
備禦官

---

皆遣往金州，迁至有粮之地。其它不可前往老弱之人，则
以盖州之二百五十石粮分赡之。」二十日，驻红草屯吴善
备御官

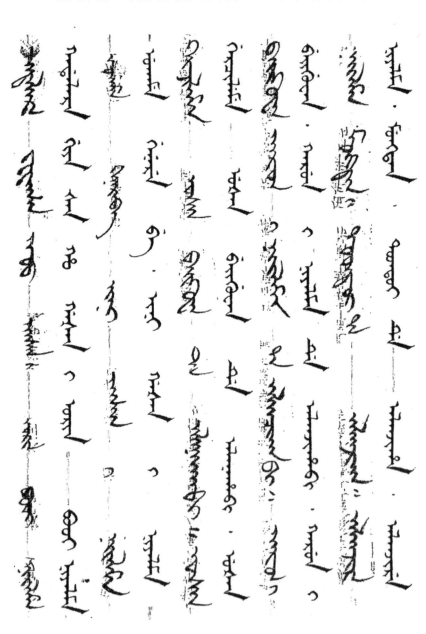

kadalara giya šan ho gašan i orin booi niyalma ukame genere be, ini gašan i niyalma gercileme ušan beiguwan de alanahabi. ušan beiguwan, karun i niyalma de alanjihabi, karun i niyalma mungtan, tottoi de alanjiha, alanjire

所轄之夾山河屯之二十戶人逃走，其屯之人首告，報於吳善備禦官。吳善備禦官報於卡倫之人，卡倫之人報於孟坦、托特托依，

所辖之夹山河屯之二十户人逃走，其屯之人首告，报于吴善备御官。吴善备御官报于卡伦之人，卡伦之人报于孟坦、托特托依，

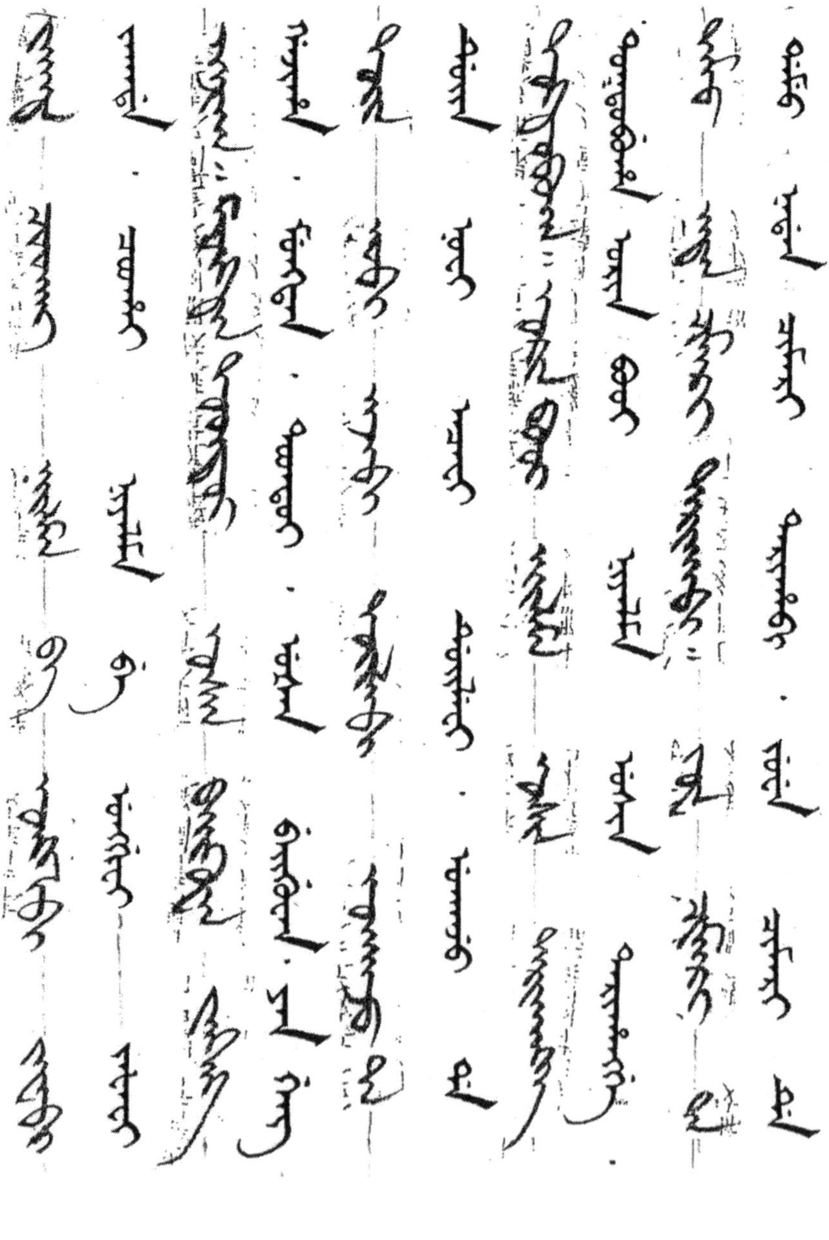

jakade, coohai niyalma be unggifi jafafi gajiha. mungtan, tottoi, ušan beiguwan, yan geng duin nofi acafi duilefi, ukanju da toktobuha orin booi niyalma usin tarihangge, damu nadan cimari tarihabi, juwe cimari de

---

因其來報，遂遣兵丁拏獲解來。經孟坦、托特托依、吳善備禦官、彥庚四人會審，逃人原定之二十戶人所耕田地，僅耕七垧，

---

因其来报，遂遣兵丁拏获解来。经孟坦、托特托依、吴善备御官、彦庚四人会审，逃人原定之二十户人所耕田地，仅耕七垧，

usehekūbi, sunja cimari de usehebi, tere be umai yangsaha
weilehekūbi. ulgiyan, coko, yendahūn be gemu wafi, kude
de tebume gaihabi. orin boode juwe ihan juwe eihen bi,
niyalma haha hehe jakūnju bi.

---

二坰未下種，已種五坰，並未耘耨；其豬、雞、犬[21]皆殺
之，裝於筐內帶走。二十戶有牛二頭、驢二隻、男女八十
人。

---

二坰未下种，已种五坰，并未耘耨；其猪、鸡、犬皆杀之，
装于筐内带走。二十户有牛二头、驴二只、男女八十人。

---

[21] 犬，《滿文原檔》寫作"intakon"，讀作"indahūn"，《滿文老檔》
讀作"yendahūn"。按《無圈點字書》卷二，"yen"字頭"intakon"
條，寫作"indahūn"(24b)；《清漢對音字式》(光緒十六年京都聚珍
堂刻本)第四字頭"yen"條：「(對音)音，按世宗憲皇帝廟諱(in jen，
胤禛)上一字用"yen"字恭代。」惟《御製五體清文鑑》滿文
"indahūn"條，漢文作「戌、狗」，未收錄"yendahūn"。實際上，
滿文"indahūn"(犬) 較其避諱字"yendahūn"，普遍通用於清代民
間社會。

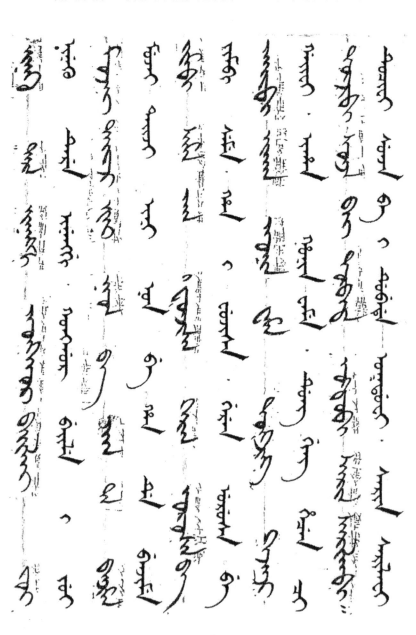

ineku tere inenggi, konggor beile i jui mujai taiji ini non be
han de benjime jimbi seme, han i fujisa geren urusa be gaifi,
ihan, honin wame, dung ging hecen ci tucifi sunja ba i
dubede okdofi, sarin sarilafi

是日，聞孔果爾貝勒之子穆齋台吉送來其妹給汗，汗之眾
福晉率眾媳宰殺牛、羊，出東京城，迎於五里外，設筵宴
之。

是日，闻孔果尔贝勒之子穆斋台吉送来其妹给汗，汗之众
福晋率众媳宰杀牛、羊，出东京城，迎于五里外，设筵宴
之。

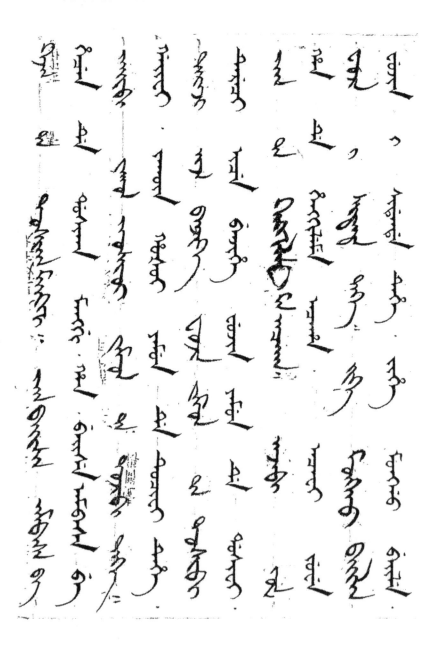

hecen de dosika manggi, han, beise ambasa be gaifi, jakūn hošoi yamun de tucifi tehe, tereci ice benjihe fujin yamun de dosifi, han de hengkileme acaha. acafi juwe fujin i sidende tehe. jihe monggo beile

入城後，汗率諸貝勒大臣出御八角殿，隨後，送來之新福晉入殿叩見汗。謁見後，坐於二福晉之間。前來之蒙古貝勒

入城后，汗率诸贝勒大臣出御八角殿，随后，送来之新福晋入殿叩见汗。谒见后，坐于二福晋之间。前来之蒙古贝勒

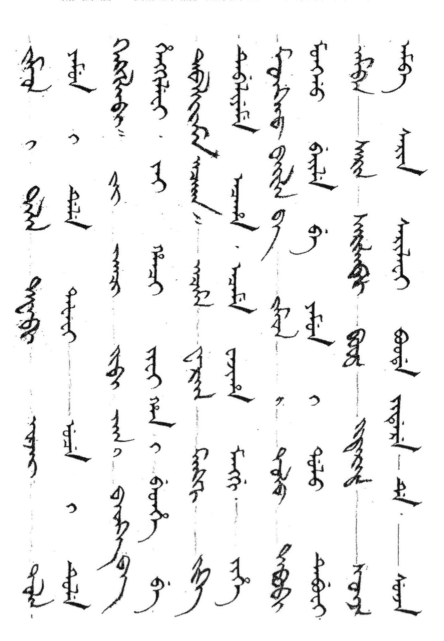

yamun i dele tafafi, uce i tule hengkilefi, jai hanci jifi han i bethe be tebeliyeme acaha. acame wajiha manggi, jihe monggo beile be yamun i dolo tebufi, amba sarin sarilafi boode jiderede, sunja

登殿，於門外叩拜後，再上前抱汗足謁見。謁見畢，到來之蒙古貝勒坐於殿內，設大筵宴之。回家時，

登殿，于门外叩拜后，再上前抱汗足谒见。谒见毕，到来之蒙古贝勒坐于殿内，设大筵宴之。回家时，

# 二十一、索還婦孺

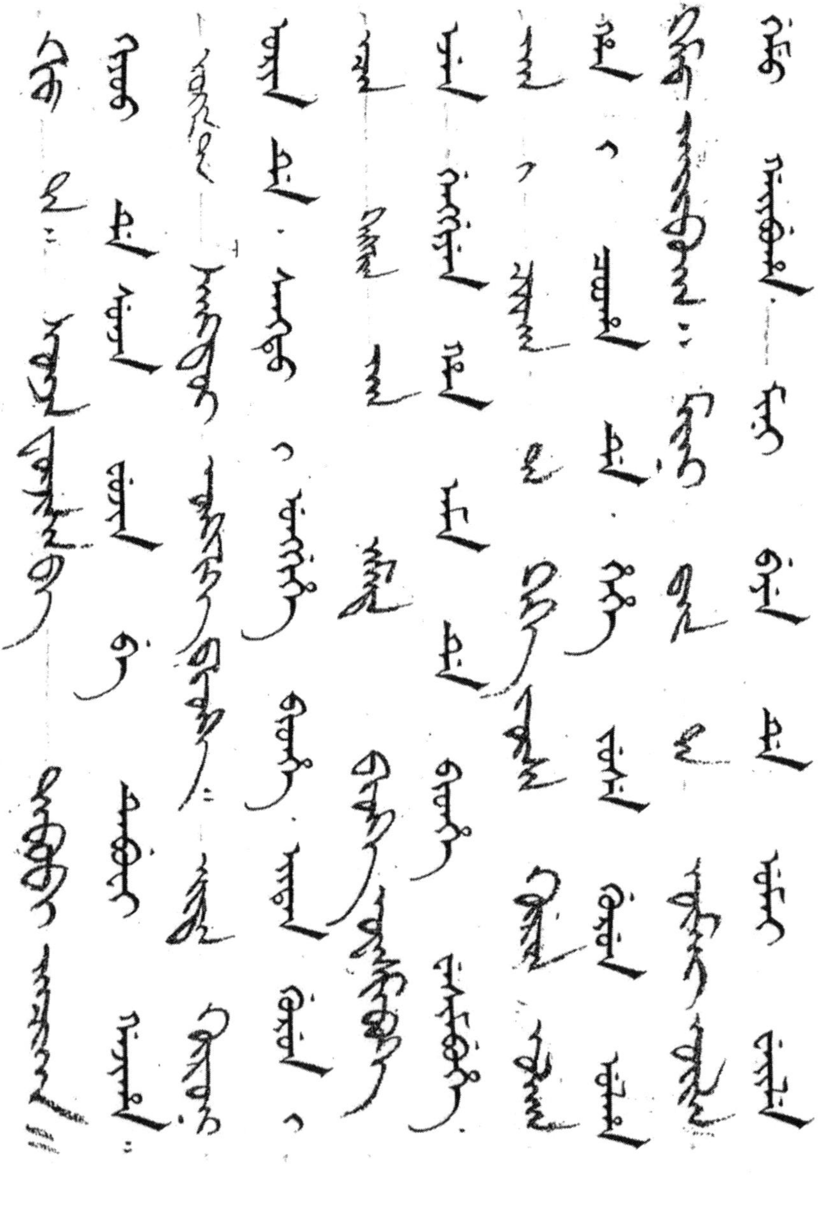

kiyoo de sunja fujin be tebufi gajiha. orin de, sangtu i
unggihe bithe, eiten gurun i ejen genggiyen han ama de bithe
wesimbuhe, han i cooha de, hehe juse gurun ulha gemu
gaibuha, mini beye de umai weile

五福晉乘坐五轎而回。二十日，桑圖致書曰：「奏書於萬
國之主英明汗父：我婦孺國人牲畜皆被汗之兵擒來，我自
身並未獲罪，

五福晋乘坐五轿而回。二十日，桑图致书曰：「奏书于万
国之主英明汗父：我妇孺国人牲畜皆被汗之兵擒来，我自
身并未获罪，

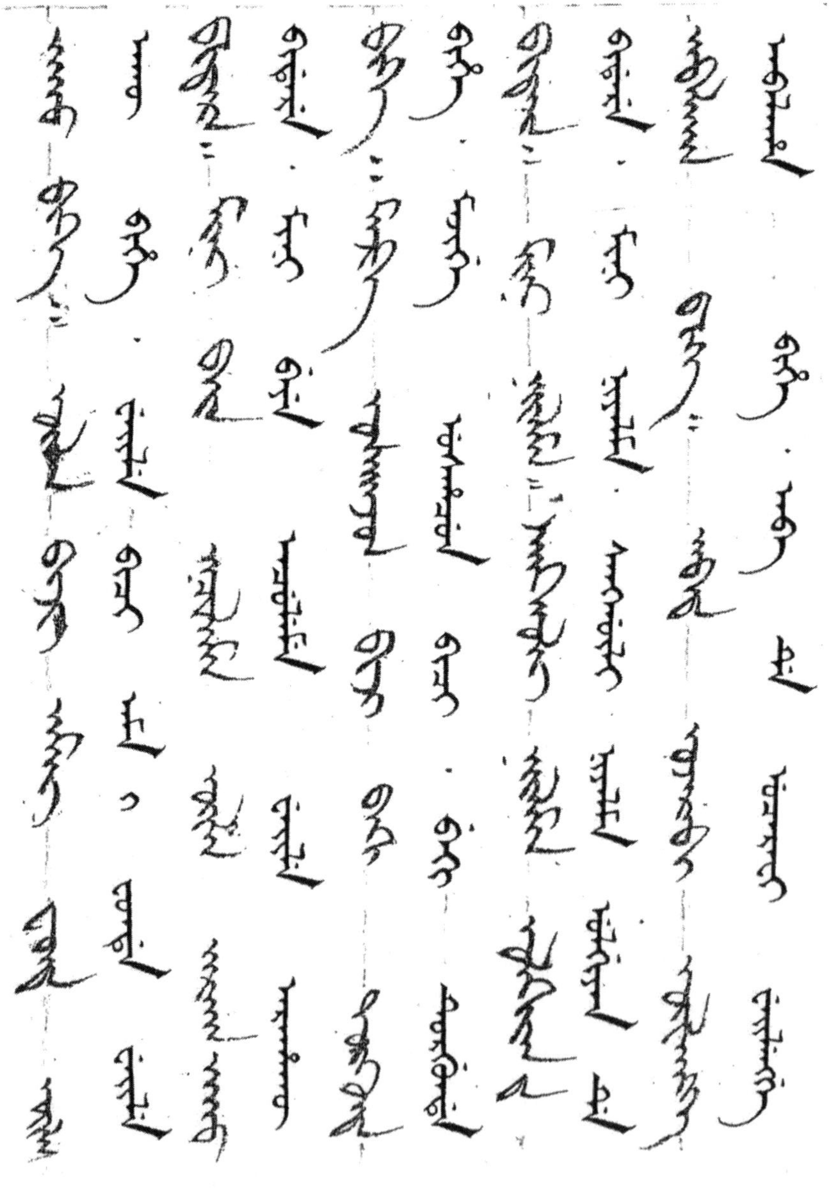

akū bihe, weile bici ama i fonde weile bidere, mini beye enculeme weile arahakū bihe. majige ushacun bici, beki turgunde bidere. mini niyalma, sanggūli niyalma ulgiyan de abalaha bihe, aba de ucarafi weilengge

---

倘若有罪，亦我父在世時所致之罪，不可歸罪於我自身。若有微怨，亦因博齊之故耳！我之人曾與桑古里之人狩獵於兀爾簡河，於圍場相遇後，

---

倘若有罪，亦我父在世时所致之罪，不可归罪于我自身。若有微怨，亦因博齐之故耳！我之人曾与桑古里之人狩猎于兀尔简河，于围场相遇后，

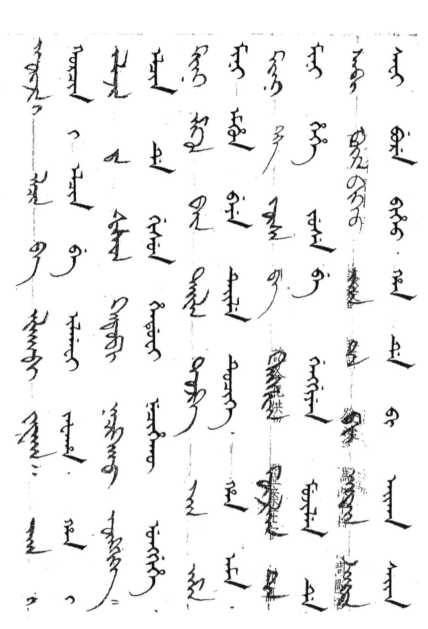

korcin i elcin be ilgafi jafaha. han i elcin de gisun hendufi necihekū unggihe. mini emhun beye teile tucike, han ama mini hehe juse be genggiyen mujilen de safi bure biheo, han de bi aika sain

辨別有罪之科爾沁使者執之。曾遣人向汗之使者言明，未曾侵犯。僅我隻身出來，汗父若能鑒察垂憐，還我婦孺，若獲佳物，

辨別有罪之科尔沁使者执之。曾遣人向汗之使者言明，未曾侵犯。仅我只身出来，汗父若能鉴察垂怜，还我妇孺，若获佳物，

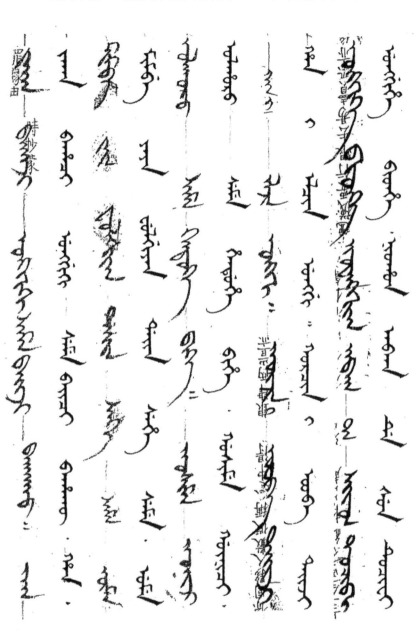

jaka bahaci unggiki seme baici bahakū. han mimbe yaya
fulgiyan dain sehe seme, ume olhoro seme henduhe bihe.
gosime gūnici, han i elcin unggi. korcin i ooba taiji unggihe
bithe, niohon abka de šun tucifi

即進呈於汗，乃求之不得也。汗曾令我勿慮任何血戰，如
蒙憫恤之念，望汗遣使送還。」科爾沁之奧巴台吉致書曰：
「汗如青天出日，

即进呈于汗，乃求之不得也。汗曾令我勿虑任何血战，如
蒙悯恤之念，望汗遣使送还。」科尔沁之奥巴台吉致书曰：
「汗如青天出日，

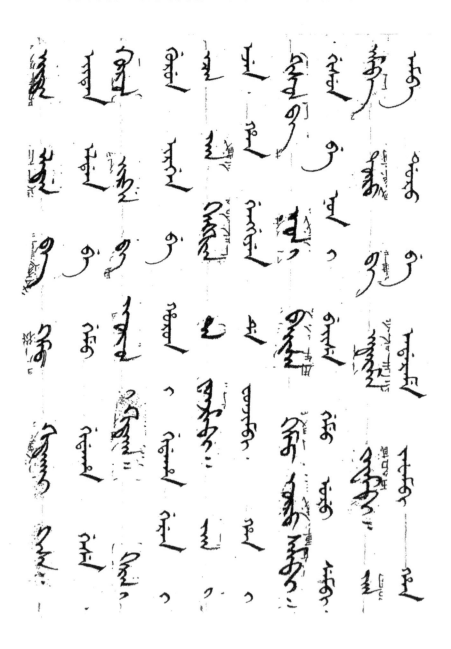

eiten elden be gemu gidaha gese, gurun irgen be horon i gidaha geren i ejen, han genggiyen de fonjimbi, han i gisun be non i beise gemu uru sembi. amba doro be adarame jafambi, han

---

眾光皆斂，威震國民之眾主詢問英明汗，嫩江之諸貝勒皆以汗之言為是。如何執掌大政，

---

众光皆敛，威震国民之众主询问英明汗，嫩江之诸贝勒皆以汗之言为是。如何执掌大政，

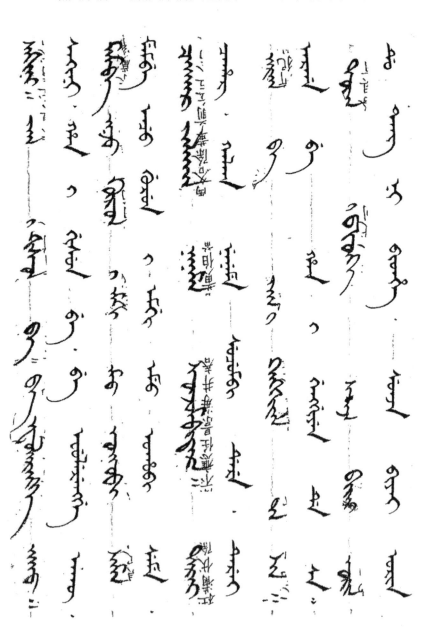

sakini. han i gisun be, be efulerengge akū, membe encu gurun i emgi emu ohobi seme, cahar, kalka neneme sucumbi dere, terei arga be han i genggiyen de sa. du tang ni bithe, sunja biyai orin

汗知之也，我等未違汗命，因我已與別國結為一體，恐察哈爾、喀爾喀先行衝陣也，望汗明察其計。五月二十一日，都堂頒書曰：

汗知之也，我等未违汗命，因我已与别国结为一体，恐察哈尔、喀尔喀先行冲阵也，望汗明察其计。五月二十一日，都堂颁书曰：

# 二十二、門禁森嚴

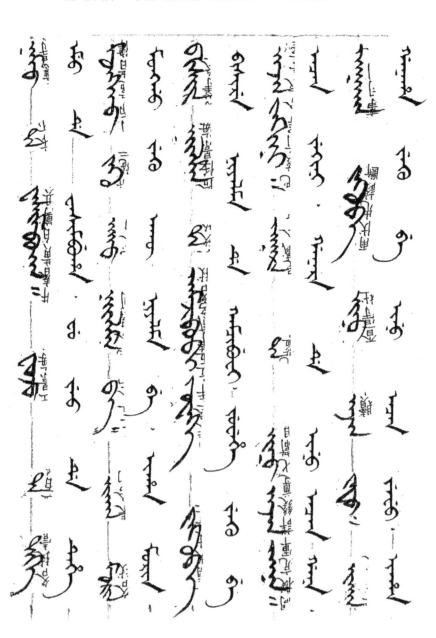

emu de wasimbuha, fu jeo de tehe monggo jeku akū niyalma be, ihan, morin bisire niyalma de kamcibufi, juwehe jeku be acan jekini. ganara de inu acan gana, ganaha jeku be inu acan jefu. ihan,

「住復州之蒙古，其無糧之人合併於有牛、馬之人，合食所運之糧。取糧時共取之，所取之糧亦合食之。

「住复州之蒙古，其无粮之人合并于有牛、马之人，合食所运之粮。取粮时共取之，所取之粮亦合食之。

morin bisire monggo, mini gajiha jeku be ainu bumbi seme
hendumbi dere. morin, ihan, han i buhe morin, ihan kai. ere
juwe aniya jušen, nikan inu jeku be acan jeke kai. tere be
suwe sahakūn.

有牛、馬、之蒙古必謂我所取來之糧，為何給與他人？馬、
牛乃汗所賜之馬、牛也。此二年諸申、漢人亦合食其糧也，
爾等未知之乎？」

有牛、馬之蒙古必谓我所取来之粮，为何给与他人？马、
牛乃汗所赐之马、牛也。此二年诸申、汉人亦合食其粮也，
尔等未知之乎？」

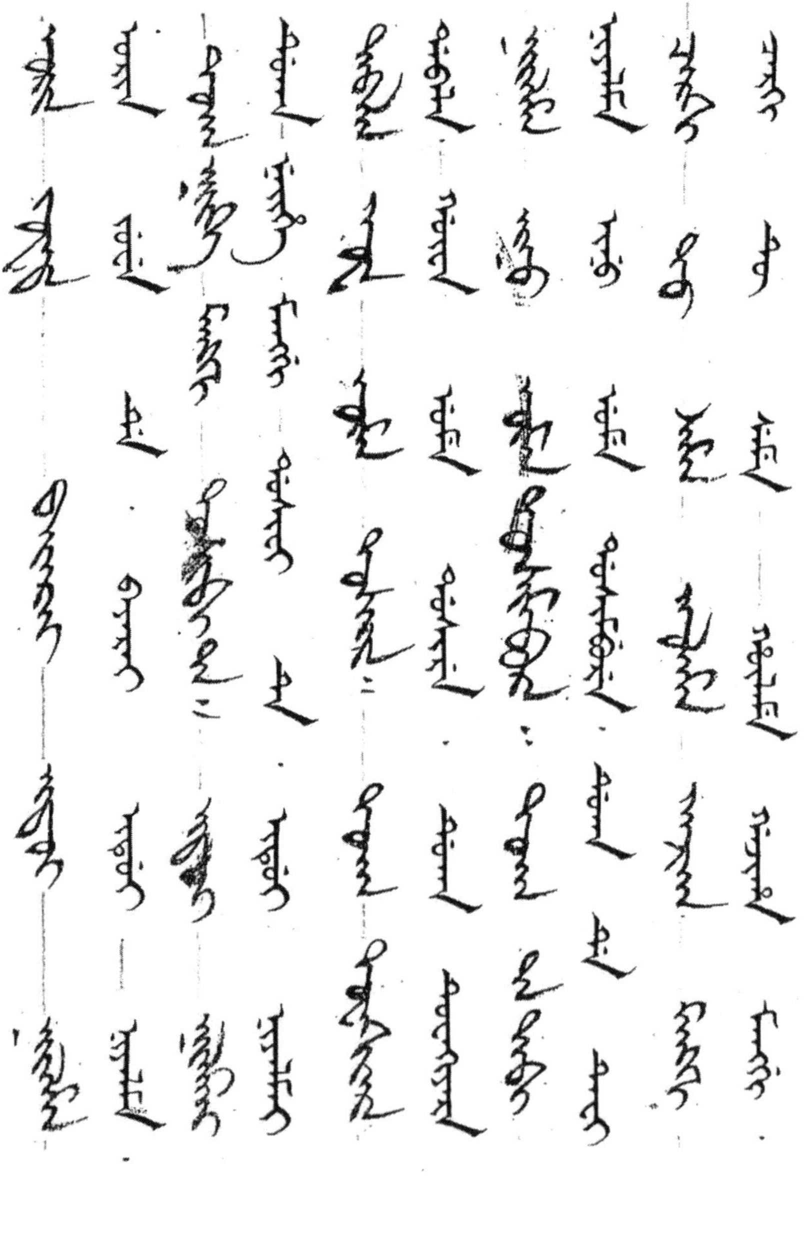

orin juwe de, bayarai idui niyalma, duka neihe manggi dosifi te. idui niyalma dabala, gūwa ume dosire. duka tuwakiyara niyalma inu ume dosimbure, duka de tefi carki tū seme hūlame gajiha manggi,

---

二十二日，定巴牙喇之值班人等，待門開後，始得入座。僅限值班人等而已，他人勿進入。守門之人亦勿進入，坐於門，打札板召之，

---

二十二日，定巴牙喇之值班人等，待门开后，始得入座。仅限值班人等而已，他人勿进入。守门之人亦勿进入，坐于门，打札板召之，

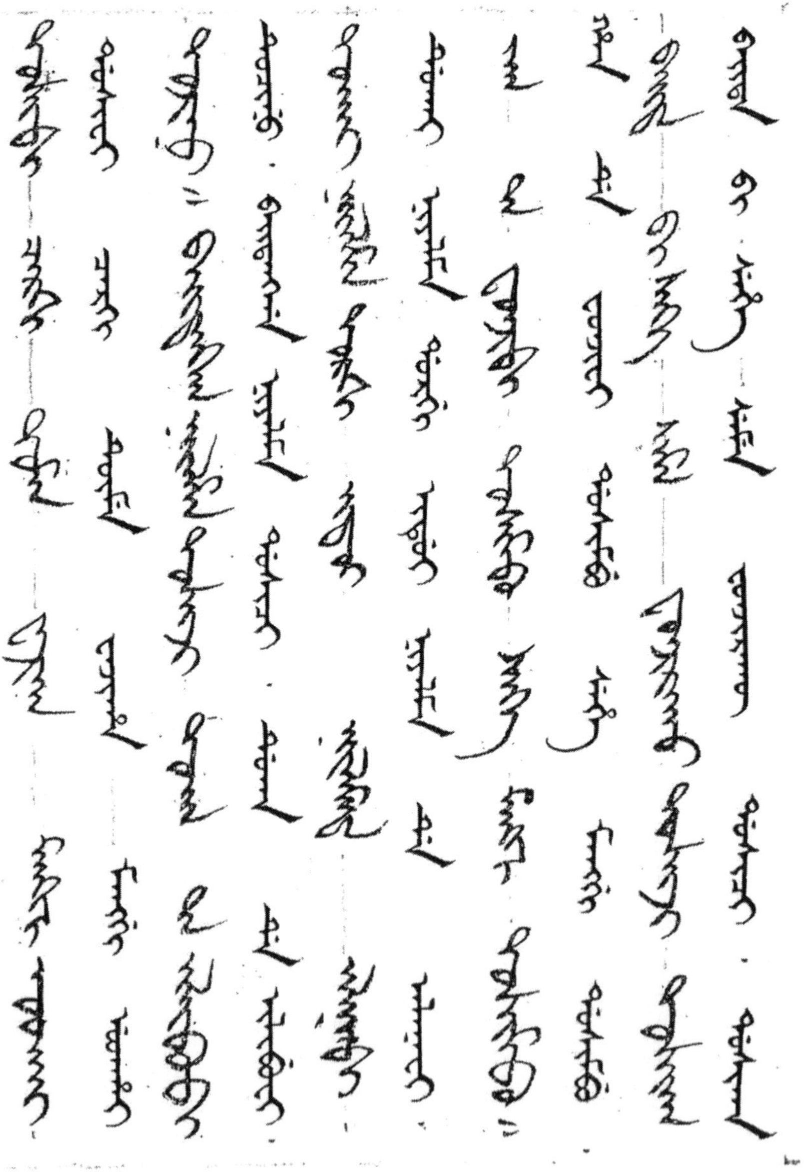

dosifi carki tūme wajiha manggi uthai tucinu. baitangga
niyalma dosici, duka de ilibufi, dukai niyalma dorgi idui
niyalma de alanafi, han de fonjifi dosimbu sehe manggi
dosimbu. baita bi sehe seme fonjirakū dosici, dosika

---

始可進入。打札板既畢，即出。有事之人若欲進入，則立
於門，由門人往告內班之人，請示於汗，准入後始入。雖
有事，若不問而入，

---

始可进入。打札板既毕，即出。有事之人若欲进入，则立
于门，由门人往告内班之人，请示于汗，准入后始入。虽
有事，若不问而入，

niyalma de weile. dukai niyalma iliburakū sindafi dosimbuci, dukai niyalma de weile. dorgi idu de dedure niyalma, jai cimari han, fujisa iliha manggi, suwe inenggi tuwakiyara sirame idui niyalma be dosimbufi gene. han, fujisa ilire

---

則罪進入之人；若門人不加阻攔放入，則罪門人。內班值宿之人，於翌日晨，俟汗、福晉起身後，及爾等值日班之人進入後，方准離去。汗、福晉起身之前，

---

則罪进入之人；若门人不加阻拦放入，则罪门人。内班值宿之人，于翌日晨，俟汗、福晋起身后，及尔等值日班之人进入后，方准离去。汗、福晋起身之前，

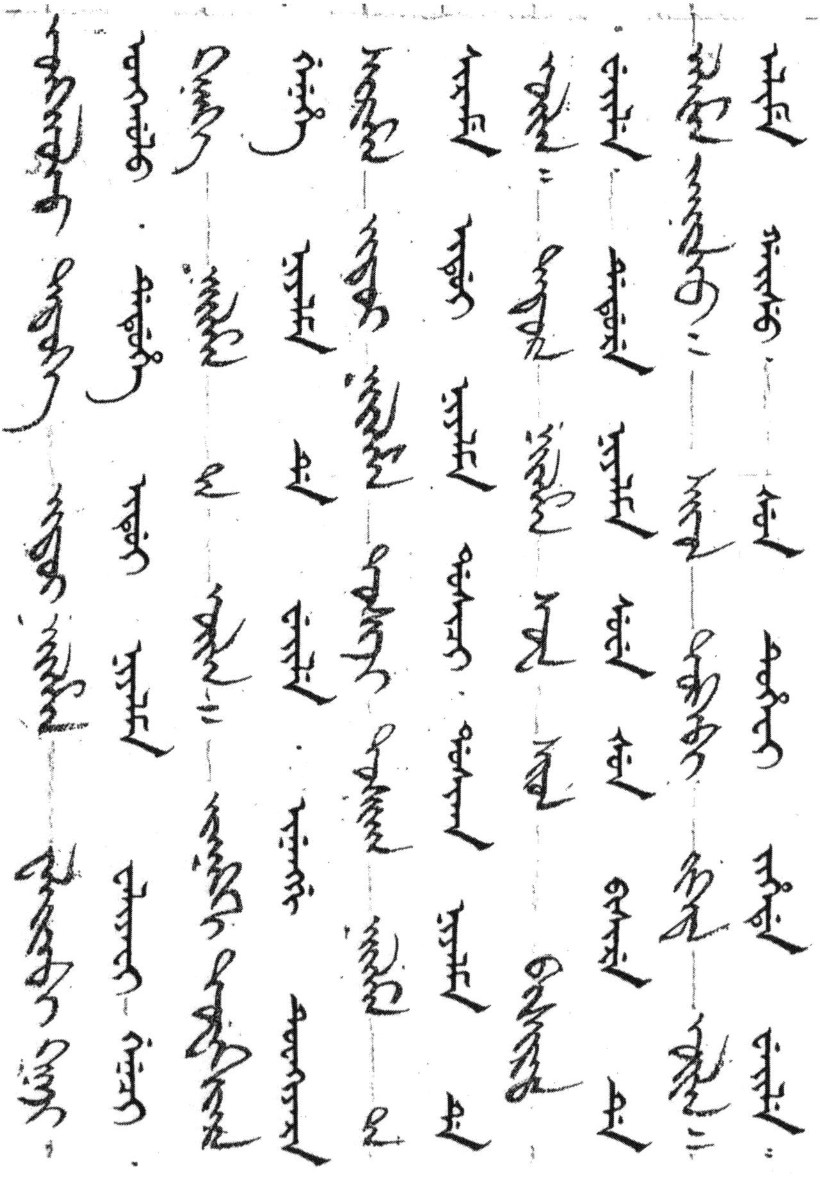

onggolo, deduhe idui niyalma waliyafi geneci, genehe niyalma de weile. inenggi tuwakiyara sirame idui niyalma dosici, dosika niyalma de weile. dedure niyalma suwe šun bisire de alime gaisu, šun tuhefi jihede weile.

---

若值宿班之人擅自離去，則罪離去之人；若值日班之人進入，則罪進入之人。值宿之人，爾等當於日落前接班，日落後始來，則罪之。

---

若值宿班之人擅自离去，则罪离去之人；若值日班之人进入，则罪进入之人。值宿之人，尔等当于日落前接班，日落后始来，则罪之。

# 二十三、宴桌食品

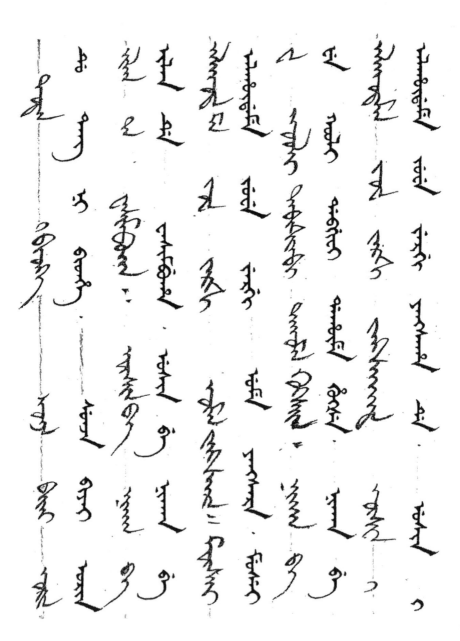

du tang ni bithe, sunja biyai orin ilan de wasimbuha, usin be
nikan be alhūdame juwe jergi ume yangsara. musei fe kooli
dabgifi dahūme hukše, nikan be alhūdame juwe jergi
yangsaha de, usin i

五月二十三日，都堂頒書曰：「勿效法漢人耕田耘草二次。
我等舊例乃拔草[22]後復培土，倘效漢人耘草二次時，

五月二十三日，都堂颁书曰：「勿效法汉人耕田耘草二次。
我等旧例乃拔草后复培土，倘效汉人耘草二次时，

[22] 拔草，句中「拔」，《滿文原檔》寫作 "tabikijabi"，讀作 "dabigiyafi"，
《滿文老檔》讀作 "dabgifi"。

holo de siyoo dekdembi, jekui da i orho be bahafi wacihiyame yangsaburahū, usin bošoro janggin hūdun bošome weilebu. orin ilan de, amba beile de wasimbuha bithe, fusi efu i juse be, aita i mukūn be ume huthure,

則田溝內將起硝，亦恐不能盡除稻穀根部之草。著該章京盡速督催耕作。」二十三日，頒書大貝勒曰：「勿綁縛撫順額駙之子及愛塔之族人，

则田沟内将起硝，亦恐不能尽除稻谷根部之草。着该章京尽速督催耕作。」二十三日，颁书大贝勒曰：「勿绑缚抚顺额驸之子及爱塔之族人，

niyalma afabufi tuwakiyame gajime jio. tesei weile be dacilara unde, dube da be ulhirakū jaci facuhūn. han, orin duin de, jakūn beise i booi niyalma de henduhe, sarilara dere de sindarangge, sesi efen emu

交人看守解來。彼等之罪，尚未詢明，不知原委，實屬妄為。」二十四日，汗謂八貝勒之家人曰：「陳放於宴桌之物，計麻花餅一種，

交人看守解来。彼等之罪，尚未询明，不知原委，实属妄为。」二十四日，汗谓八贝勒之家人曰：「陈放于宴桌之物，计麻花饼一种，

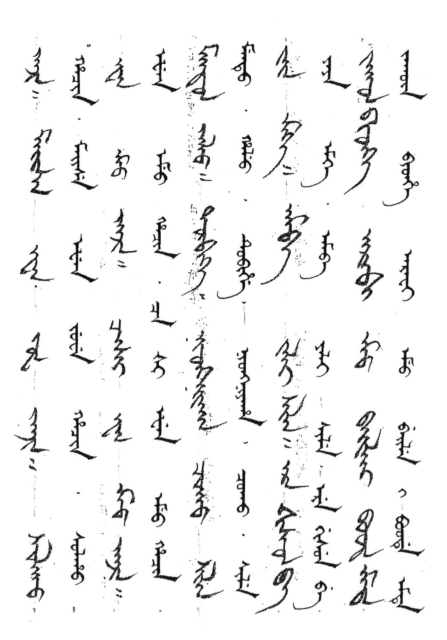

hacin, maise efen juwe hacin, solho efen emu hacin, ca ši efen emu hacin, mentu, halu, tubihe, niongniyaha, coko, sile yaya emke, amba yali sile. ere gisun be jakūn bithe arafi emu beile i boode emte

麥餅二種，高麗餅一種，茶食餅一種，饅首、細粉、果子、鵝、雞、湯各一種，並大肉湯。著將此言繕書八分，分送每貝勒家各一分。」

麦饼二种，高丽饼一种，茶食饼一种，馒首、细粉、果子、鹅、鸡、汤各一种，并大肉汤。着将此言缮书八分，分送每贝勒家各一分。」

# 二十四、明察秋毫

bithe buhe. ineku tere inenggi, jeku bisire niyalma tucibufi
bu, buci hūda bume gaikini. jeku bifi tucibufi burakū gūwa
gercilehe de, hūda burakū baibi gaimbi, gercilere niyalma
dulin niyalma be jeku be tuwakiyabu. somirahū,

是日，命有糧之人出糧，出則給價收取；有糧不出，一經
他人首告，則不給價平白收取，並由首告之人及中間人看
守其糧。恐有隱藏，

是日，命有粮之人出粮，出則给价收取；有粮不出，一经
他人首告，则不给价平白收取，并由首告之人及中间人看
守其粮。恐有隐藏，

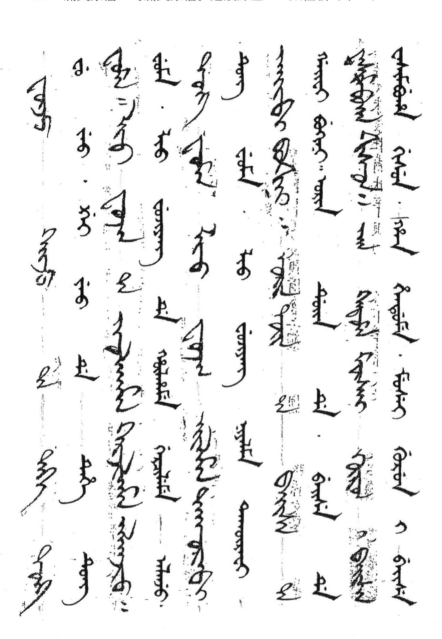

fu jeo, g'ai jeo de tehe tung fuma, lio fujiyang de hūlhame
gercileme alanju, tung fuma, lio fujiyang niyalma takūrafi
gaifi bukini. orin duin de, beise de wasimbuha gisun, han
hendume, musei gurun i beise

可密告駐復州、蓋州之佟駙馬、劉副將，由佟駙馬、劉副
將遣人取而給之。二十四日，汗諭諸貝勒曰：「我國之諸
貝勒、

可密告駐复州、盖州之佟駙马、刘副将，由佟駙马、刘副
将遣人取而给之。二十四日，汗谕诸贝勒曰：「我国之诸
贝勒、

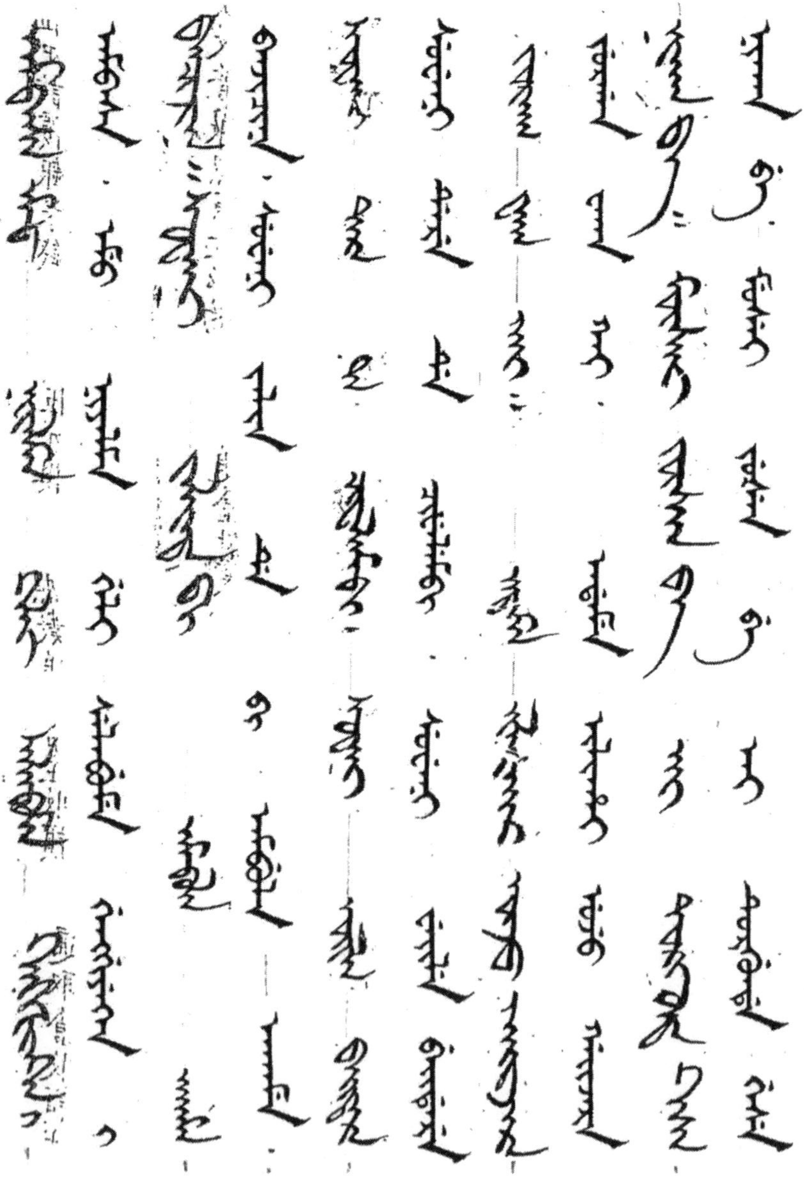

ambasa, emu niyalma geli selabume genggiyeken i banjicina,
suweni jalin de bi ambula akame, suweni dere de cifelembi.
suweni weile beidere jurgan waka kai, adame ilihai uju
gaijara nikan be, musei jušen be ai turgunde gese

眾大臣，但凡有一人又貪圖享樂，我甚為爾等憂愁，當唾
爾等之臉。爾等審斷之意非也，何故將旁立斬首之漢人與
我等諸申等同看待？

众大臣，但凡有一人又贪图享乐，我甚为尔等忧愁，当唾
尔等之脸。尔等审断之意非也，何故将旁立斩首之汉人与
我等诸申等同看待？

Teherebuhebi. musei jušen aika weile araci, gung be fonji, takūrabuha be fonji, majige aika turgun bici, terei anagan de guwebucina. nikan bucere ergen banjifi tondoi hūsun burakū, geli hūlha holo oci, tere be

我等諸申若犯罪，當問其功，當問其奉差，若稍有緣故，可托詞寬宥之。漢人乃死而生還之人，若不忠心効力，復為盜賊，

我等诸申若犯罪，当问其功，当问其奉差，若稍有缘故，可托词宽宥之。汉人乃死而生还之人，若不忠心効力，复为盗贼，

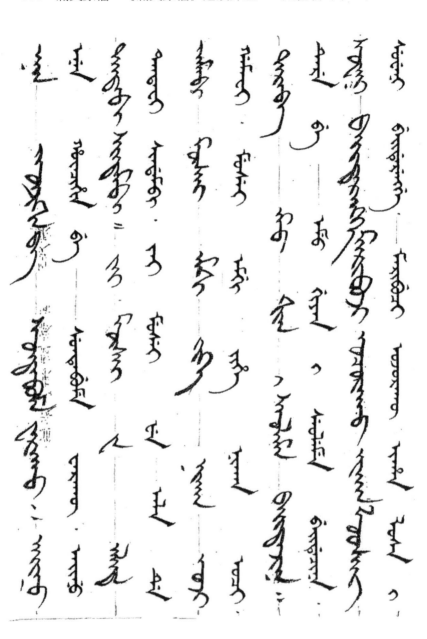

enen hūncihin be suntebume warakū, ainu tantafi sindambi. jai musei fe ala de gamafi, musei emgi jihe nikan oci, tere be emu giyan i seoleme beidecina. suweni beiderengge, maribuci ojorakū ihan losa i

---

為何不殺絕其子嗣同族而杖釋之？再者，若係自費阿拉帶至與我等同來之漢人，應思考將其一體審斷之。爾等所審斷者，不可撤回，竟似牛、騾也。

---

为何不杀绝其子嗣同族而杖释之？再者，若系自费阿拉带至与我等同来之汉人，应思考将其一体审断之。尔等所审断者，不可撤回，竟似牛、骡也。

adali kai, ere bithe be jakūn beise, suwe meni meni gūsai
beise ambasa be isabufi hūlhame tuwa, niyalma de ume
donjibure. yoo jeo i niyalma musei cooha genehe amala,
musei juse hehesi be wambi seme gisurehe be,

著八貝勒召集爾等各旗之諸貝勒臣等密閱此書，勿令他人
聞之。耀州之人揚言俟我兵去後，將殺我等之子女，

着八贝勒召集尔等各旗之诸贝勒臣等密阅此书，勿令他人
闻之。耀州之人扬言俟我兵去后，将杀我等之子女，

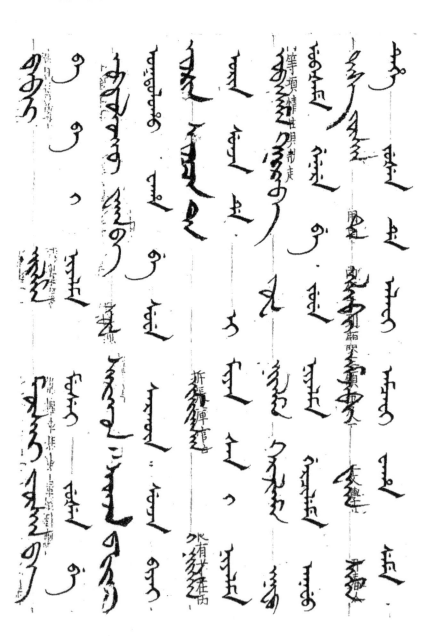

ba ba i niyalma musei jušen be oktoloho waha be suwe sarkūn. sunja biyai orin sunja de, i miyan šan i niyalma ubašame genere be, juwe niyalma gercileme anafu tehe jušen de alafi amcafi waha seme,

---

各處之人毒殺我等諸申，爾等不知乎？」五月二十五日，一面山之人叛去，有二人首告於戍守之諸申，稟告後追殺之，

---

各处之人毒杀我等诸申，尔等不知乎？」五月二十五日，一面山之人叛去，有二人首告于戍守之诸申，禀告后追杀之，

# 二十五、防範漢人

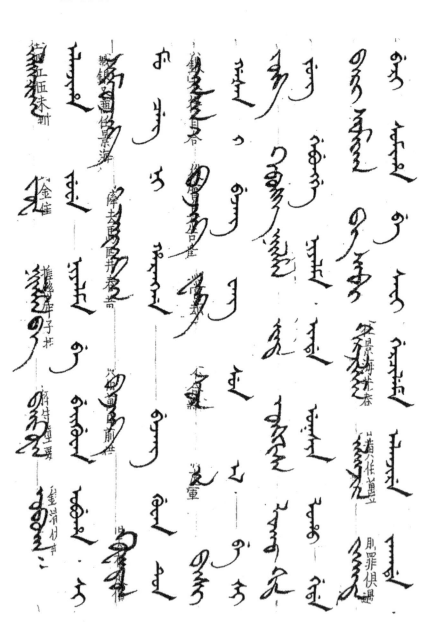

alanjiha juwe niyalma be beiguwan obuha. si mu ceng ni harangga bejang guwan tun gašan i bejang wang sun el, be ši jung gebungge niyalma, inde uksin, loho, gida, beri somiha be safi gercileme alanjire jakade,

故以來報之二人為備禦官。析木城所屬百長官屯之百長王孫兒，知名叫白世忠之人因藏匿甲、刀、槍、弓，前來首告，

故以来报之二人为备御官。析木城所属百长官屯之百长王孙儿，知名叫白世忠之人因藏匿甲、刀、枪、弓，前来首告，

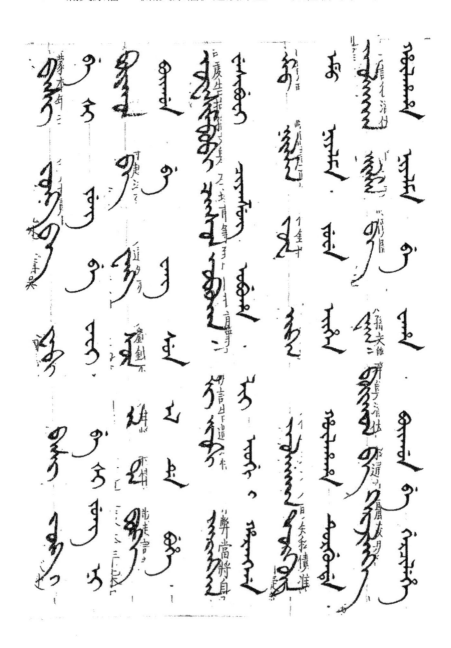

be ši jung be wafi, be ši jung ni boigon be wang sun el de
buhe, wesibufi ciyandzung obuha. lii iogi i harangga emu
niyalma, juwe eihen hūlhaha turgunde, hūlhaha niyalma be
waha, boigon be gercilehe

所以殺白世忠後，將白世忠之戶口賜王孫兒，陞為千總。
李遊擊所屬一人，因偷驢二隻，所以殺偷竊之人，

所以杀白世忠后，将白世忠之户口赐王孙儿，升为千总。
李游击所属一人，因偷驴二只，所以杀偷窃之人，

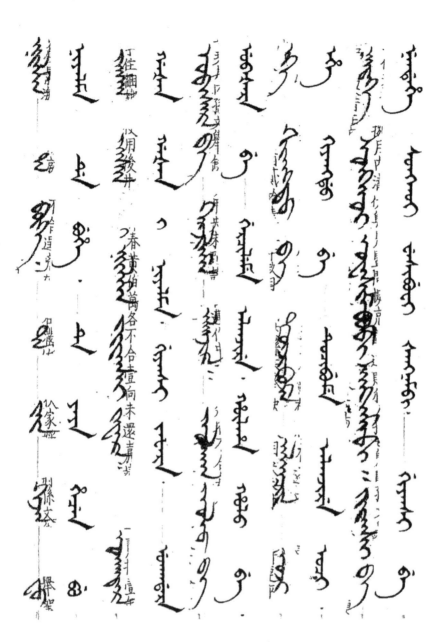

niyalma de buhe. te yaya hecen pu gašan gašan i niyalma,
giyansi jafara, ukandara ubašara be gercileme alanjire, hūlha
holo be, ehe kiyangdu be tucibume alanjire oci, nendehe
songkoi wesibufi šangnambi. giyansi be

---

將戶口賜首告之人。今凡城堡鄉屯之人，查拏奸細、首告
叛逃、舉發盜賊、兇惡強暴，按前例陞賞。

---

將戶口賜首告之人。今凡城堡乡屯之人，查拏奸细、首告
叛逃、举发盗贼、凶恶强暴，按前例升赏。

jafarakū, ukandara ubašara be safi gercileme alanjirakū,
hūlhara holtoro, ehe kiyangdu oci, beye be wambi, boigon be
gercilehe niyalma de bumbi. ineku tere inenggi, hoto
beiguwan jecen de anafu tenefi, ilan nikan be

---

倘若遇奸細而不拏，知叛逃而不來首告，反而從事盜騙、
兇惡、強暴，則誅其本人，而將其戶口賜首告之人。是日，
霍托備禦官前往戍守邊境，因三名漢人

---

倘若遇奸细而不拏，知叛逃而不来首告，反而从事盗骗、
凶恶、强暴，则诛其本人，而将其户口赐首告之人。是日，
霍托备御官前往戍守边境，因三名汉人

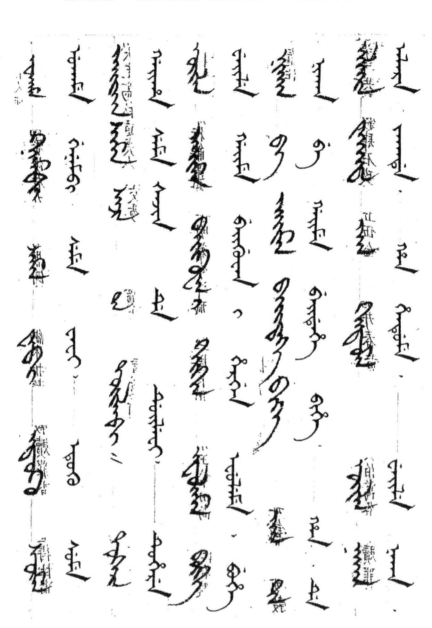

ukame genembi seme wafi, etuku sume gaiha seme šajin de duilefi, tuhere weile gaime beiguwan i hergen efuleme, buhe nikan be gaime beidehe bihe, han de alara jakade, han hendume, weile naka,

---

欲叛逃，遂殺之。因解取其衣，經法司審理坐罪，革備禦官之職，並奪所賜之漢人。稟告於汗，汗曰：「免其罪，

---

欲叛逃，遂杀之。因解取其衣，经法司审理坐罪，革备御官之职，并夺所赐之汉人。稟告于汗，汗曰：「免其罪，

nikan be amasi gaisu, nirui bošoro beiguwan bikini. ineku
tere inenggi, han i bithe wasimbuha, julergi de anafu tehe
ambasa, suweni tubade cargi ci dain jifi museingge aikabade
jobofi jimbihede, musei nikan seme

收回漢人，保留牛彔領催備禦官。」是日，汗頒書曰：「戍
守南邊之眾大臣，倘敵人從彼處前來攻戰爾處，我軍不支
撤退時，

收回汉人，保留牛彔领催备御官。」是日，汗颁书曰：「戍
守南边之众大臣，倘敌人从彼处前来攻战尔处，我军不支
撤退时，

akdafi balai samsime ume jidere. nikan, muse be etenggi de buda jeku dagilafi aliyambi, muse yadalinggū ohode heturefi nemembi kai. tede akdame ume gūnire, yafahan morin i cooha be bargiyafi, nikan i boode darirakū

我所屬不可信漢人，散而後撤。我方勢強，漢人備飯食相待，我方勢弱時，將加攔截也。切勿輕信彼等，當集中馬步軍，不經漢人之家，

我所属不可信汉人，散而后撤。我方势强，汉人备饭食相待，我方势弱时，将加拦截也。切勿轻信彼等，当集中马步军，不经汉人之家，

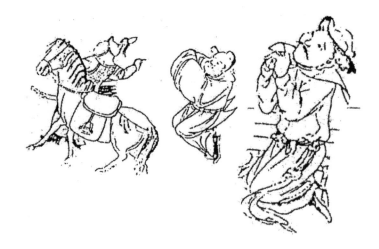

# 二十六、漢兵馬匹

tulergi jio. han i bithe, sunja biyai orin sunja de wasimbuha, emu iogi kadalara juwe tumen haha de, dehi ciyandzung ni ama aja, ahūn aša, sargan juse be, gemu dung ging ni hecen de tebu.

經野外返回。」五月二十五日，汗頒書曰：「令一遊擊所轄二萬男丁內，以四十名千總之父母、兄嫂、妻孺等皆住東京城。

经野外返回。」五月二十五日，汗颁书曰：「令一游击所辖二万男丁内，以四十名千总之父母、兄嫂、妻孺等皆住东京城。

orin ciyandzung ubade bici, orin ciyandzung iogi i jakade genekini, dehi ciyandung juwe idu banjifi, iogi i jakade halame yabu. nikan i coohai morin be hūdun bošome tarhūbu, jakūn biyai tofohon de tuwambi, morin turga

---

留二十名千總於此處，命二十名千總前往遊擊處。編四十名千總為二班，於遊擊處更換行走。盡速督令漢兵之馬匹膘壯，八月十五日查看，倘若馬匹瘦弱，

---

留二十名千总于此处，命二十名千总前往游击处。编四十名千总为二班，于游击处更换行走。尽速督令汉兵之马匹膘壮，八月十五日查看，倘若马匹瘦弱，

oci, morin i ejen be, ciyandzung be tantambi, kadalara ejen hafan de, turga morin tome emte yan menggun gaimbi. meni meni harangga nikan i morin be, musei jušen i morin i emgi adula, enggemu, hadala, ai ai coohai

---

則杖打馬主、千總，該管主官每匹瘦馬罰取銀各一兩。各所屬漢人之馬匹，與我諸申之馬匹同牧，其鞍、彎、各樣軍械，

---

则杖打马主、千总，该管主官每匹瘦马罚取银各一两。各所属汉人之马匹，与我诸申之马匹同牧，其鞍、彎、各样军械，

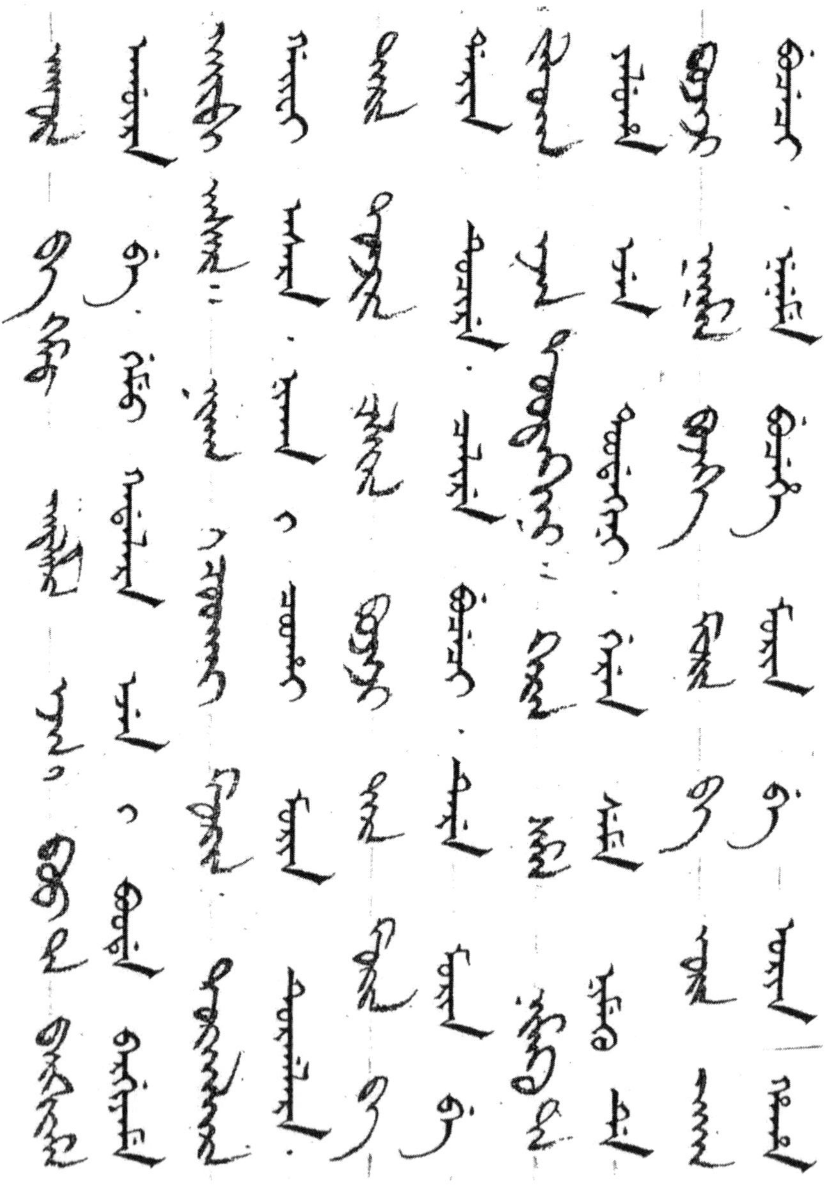

agūra be, gemu kadalara ejen i boode bargiyame gaifi asara. nikan i coohai morin turgalara, darin tucire, calire buceci, tere morin be yaluha ejen toodakini. geren seme nimeku de buceci, neneme bucehe morin be orin haha

皆收藏於該管主之家。漢軍之馬匹若瘦弱、馬背生鞍瘡、疲憊致死，則由其乘馬之主賠償。若眾云死於瘟病[23]，則先前已死之馬

皆收藏于该管主之家。汉军之马匹若瘦弱、马背生鞍疮、疲惫致死，则由其乘马之主赔偿。若众云死于瘟病，则先前已死之马

<hr>

[23]　瘟病，《滿文原檔》、《滿文老檔》俱讀作 "nimeku"，意即「病」，滿漢文義不全；規範滿文讀作"geri nimeku"，意即「瘟疫」。

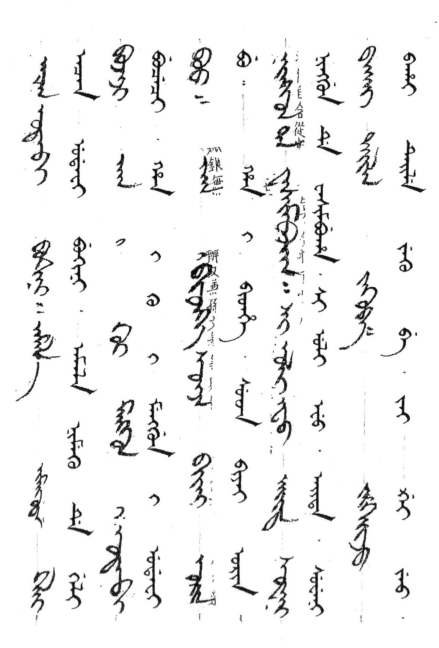

acan udafi bukini. amala nimeku de geli buceci, han i ku i menggun i udafi bu. han i bithe, sunja biyai orin ninggun de wasimbuha, si uli efu, aita, suweni bahai teile jeku be, jai g'ai jeo,

---

令二十男丁合買給之；其後若又有死於瘟病者，則以汗之庫銀買給。」五月二十六日，汗頒書曰：「西烏里額駙、愛塔，著爾等將所獲之糧以及於蓋州、

---

令二十男丁合买给之；其后若又有死于瘟病者，则以汗之库银买给。」五月二十六日，汗颁书曰：「西乌里额驸、爱塔，着尔等将所获之粮以及于盖州、

# 二十七、兄弟鬩牆

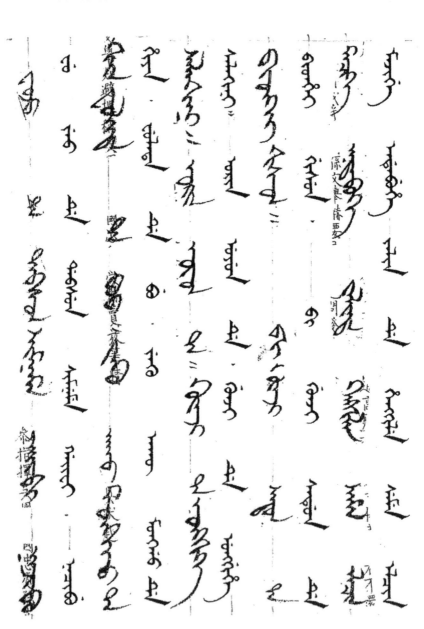

fu jeo de dabsun simneme gaifi, nacibu hiya, fulata de bu, jeku akū monggo de salakini. orin uyun de, gunji de unggihe bithei gisun, bi gunji sadun de majige endebuhe jalin de hengkile seme elcin

復州選取之鹽交給納齊布侍衛、富拉塔，以賑濟無糧之蒙古。」二十九日，致書袞濟曰：「我於袞濟親家因稍有過失，故遣使叩謝之。」

复州选取之盐交给纳齐布侍卫、富拉塔，以赈济无粮之蒙古。」二十九日，致书衮济曰：「我于衮济亲家因稍有过失，故遣使叩谢之。」

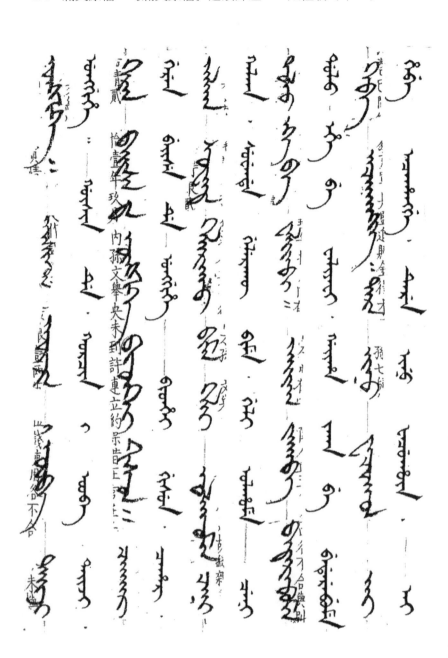

unggihe. gūsin de, korcin i ooba taiji, geren beise de unggihe bithei gisun, cahar, kalka, suwende gelerakū bime, geli olhome ceni dolo ehe be waliyafi, gaiha jaka be bederebume hebe acahangge, tere inu facuhūn, ai

三十日，致書科爾沁奧巴台吉、諸貝勒曰：「察哈爾、喀爾喀不畏懼爾等，且又謹慎，棄其內嫌，歸還所掠之物而議和者，是乃念及亂何益

三十日，致书科尔沁奥巴台吉、诸贝勒曰：「察哈尔、喀尔喀不畏惧尔等，且又谨慎，弃其内嫌，归还所掠之物而议和者，是乃念及乱何益

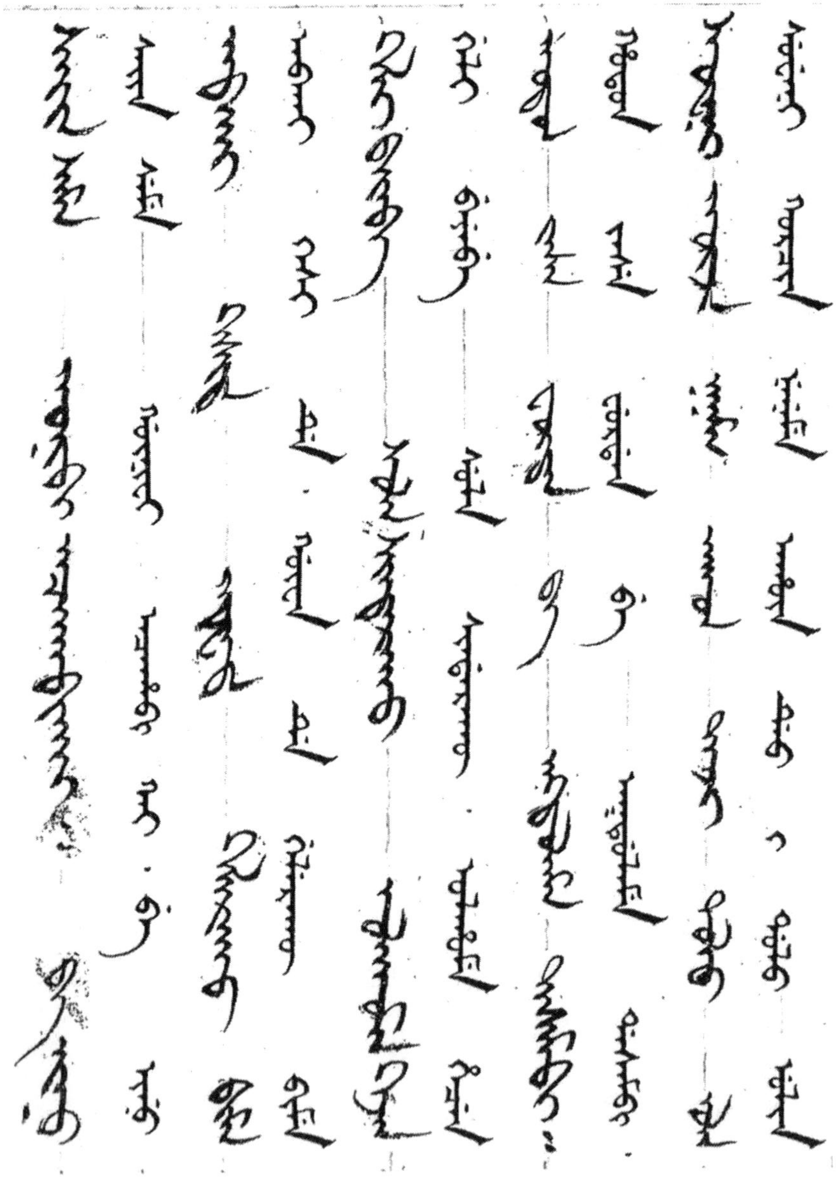

sain seme gūnifi acahabi kai. be inu abkai kesi de, gūwa de gelerakū bime, geli beyebe sula sindarakū, olhome hecen hoton, jase furdan be akdulame dasambi. suweni korcin neneme ahūn deo i dolo ulin

而和之也。我等亦蒙天恩，不懼他人，且又不放鬆自己，謹慎行事，牢固修築城池、關塞。先前爾科爾沁兄弟之間爭奪財畜，

而和之也。我等亦蒙天恩，不惧他人，且又不放松自己，谨慎行事，牢固修筑城池、关塞。先前尔科尔沁兄弟之间争夺财畜，

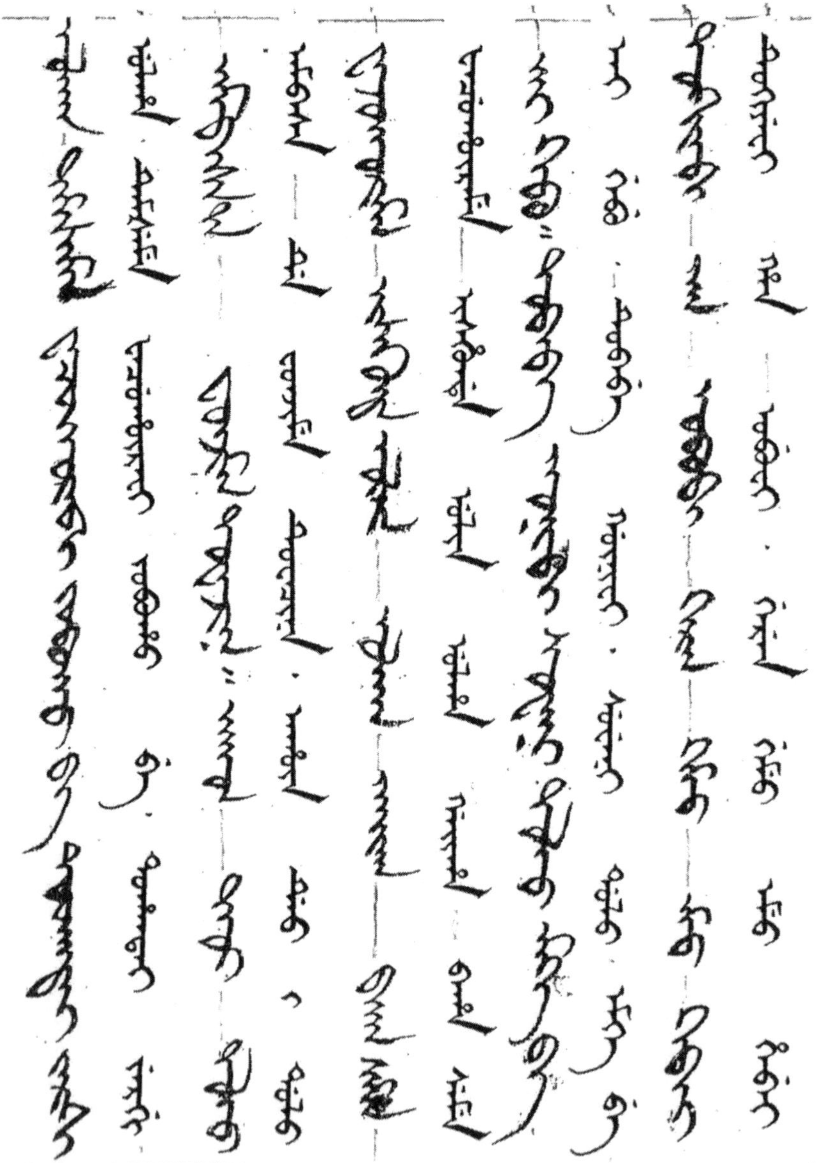

ulha temšeme facuhūrafi joboho be, tohantai jergi ambasa de fonjime tuwacina. ahūn deo i dolo facuhūrame ishunde ulin ulha gaiha baha seme ai gebu. tubabe gūnifi, suweni dolo emke be tukiyefi han obufi, geren gemu emu hebei

是以致亂，可問托漢泰等眾大臣。兄弟之間致亂，雖獲得財畜，名聲何在？念及此事，曾言爾等之間，可舉一人為汗，倘若爾眾皆意見一致，

是以致乱，可问托汉泰等众大臣。兄弟之间致乱，虽获得财畜，名声何在？念及此事，曾言尔等之间，可举一人为汗，倘若尔众皆意见一致，

banjici, cahar, kalka, suwembe necici ojorakū okini. mini ere
gisun be suwembe inu saišambi dere seme henduhe. han
obure be suwe manggi acarakū ojorakūci, nakaci suweni ciha
dere. suwembe wakalaci wakalakini seme. mini geli

---

則可使察哈爾、喀爾喀不再侵犯爾等。我之此言，諒爾等
亦贊同吧！所舉之汗，爾等若以為不合或不可，若欲罷
之，則聽爾便。若責備爾等，則任其責備。

---

則可使察哈尔、喀尔喀不再侵犯尔等。我之此言，谅尔等
亦赞同吧！所举之汗，尔等若以为不合或不可，若欲罢之，
则听尔便。若责备尔等，则任其责备。

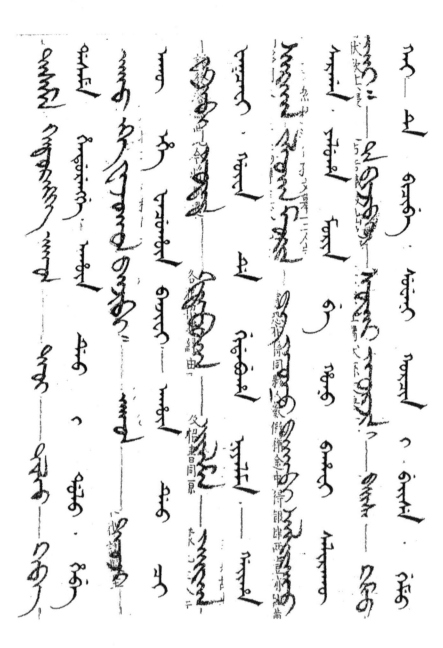

dasame hendurengge, ahūn deo i dolo, hebe akū ehe facuhūn banjifi, ahūn deo ci fakcafi, gūwa de gidabuha niyalma, gaiha sargan, yaluha morin be hono bahafi salirakū kai. te bicibe, suweni korcin i beise, gemu

---

我又有話要說，兄弟之間意見不一致，交惡致亂，則兄弟離散，被他人欺壓者，雖得嬌妻、良馬亦不值得也。如今，爾科爾沁諸貝勒

---

我又有话要说，兄弟之间意见不一致，交恶致乱，则兄弟离散，被他人欺压者，虽得娇妻、良马亦不值得也。如今，尔科尔沁诸贝勒

# 二十八、依例結案

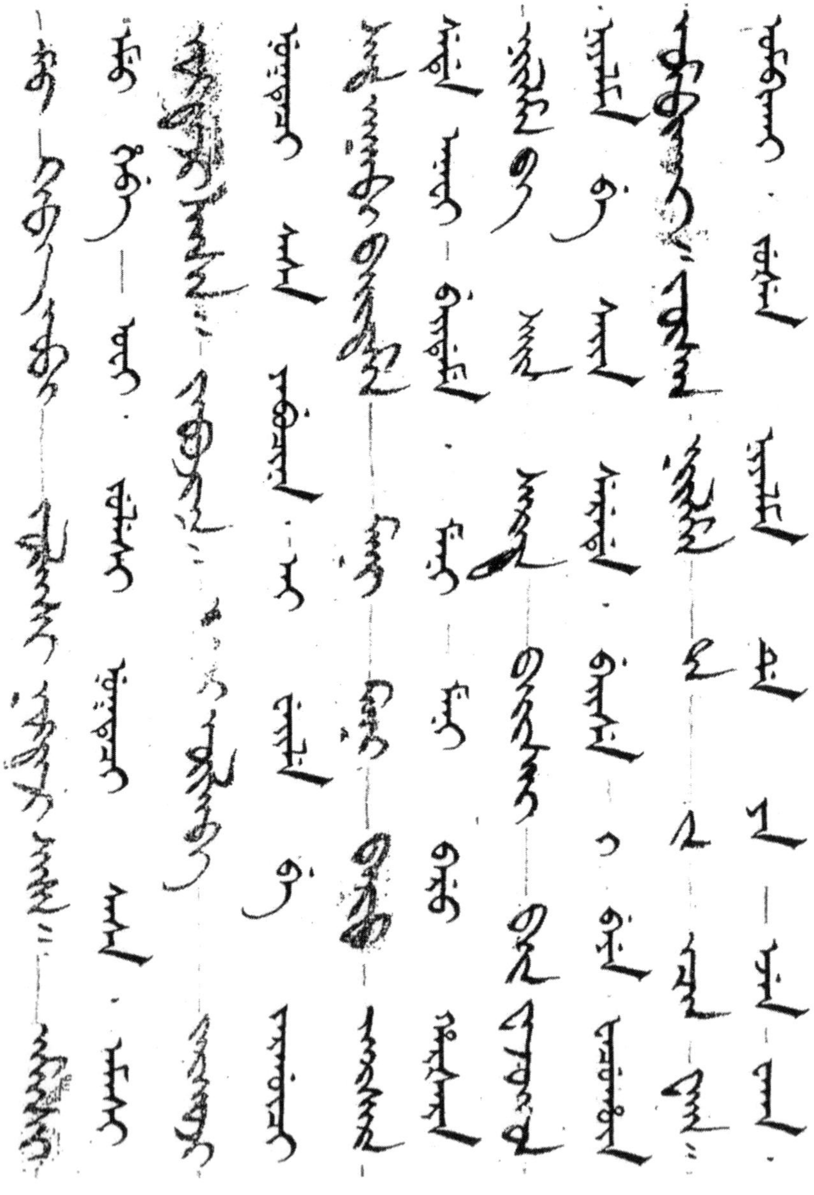

emu hebe ofi, julesi nukteci sasa, amasi nukteci sasa yabucina. ai weile be jargūci sede anafi beideme, meni meni baru haršara niyalma be sain serede, beise i beye facuhūn ombikai. jušen niyalma de ya ejen waka,

---

皆意見一致，南牧同行，北牧同往。凡事皆委扎爾固齊審斷，倘若各說其偏護之人為好時，則諸貝勒自身為亂也。孰非諸申人之主，

---

皆意见一致，南牧同行，北牧同往。凡事皆委扎尔固齐审断，倘若各说其偏护之人为好时，则诸贝勒自身为乱也。孰非诸申人之主，

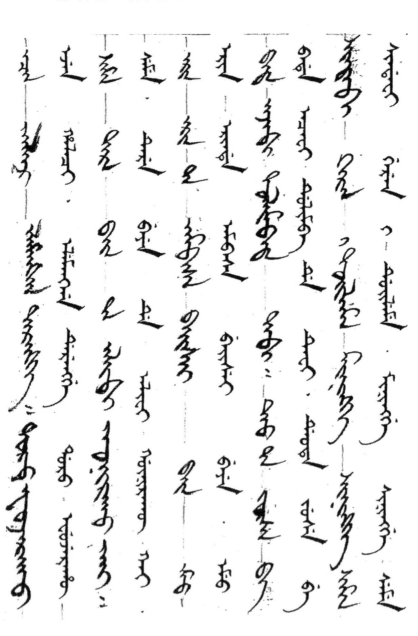

ejen halaci, elemangga derengge doro efujerahū seme, tere
beye de alifi gūnirakū kai. erin erinde ambasa beisei beye,
emu bade acafi dulimba de tefi, deote juse be sindafi geren i
duileme, miningge siningge seme

---

倘若易主，反而恐破壞體統，未設身處地思考也。眾大臣、
諸貝勒本人應時時會於一處，居中而坐，委任子弟眾人審
斷，不論你我，

---

倘若易主，反而恐破坏体统，未设身处地思考也。众大臣、
诸贝勒本人应时时会于一处，居中而坐，委任子弟众人审
断，不论你我，

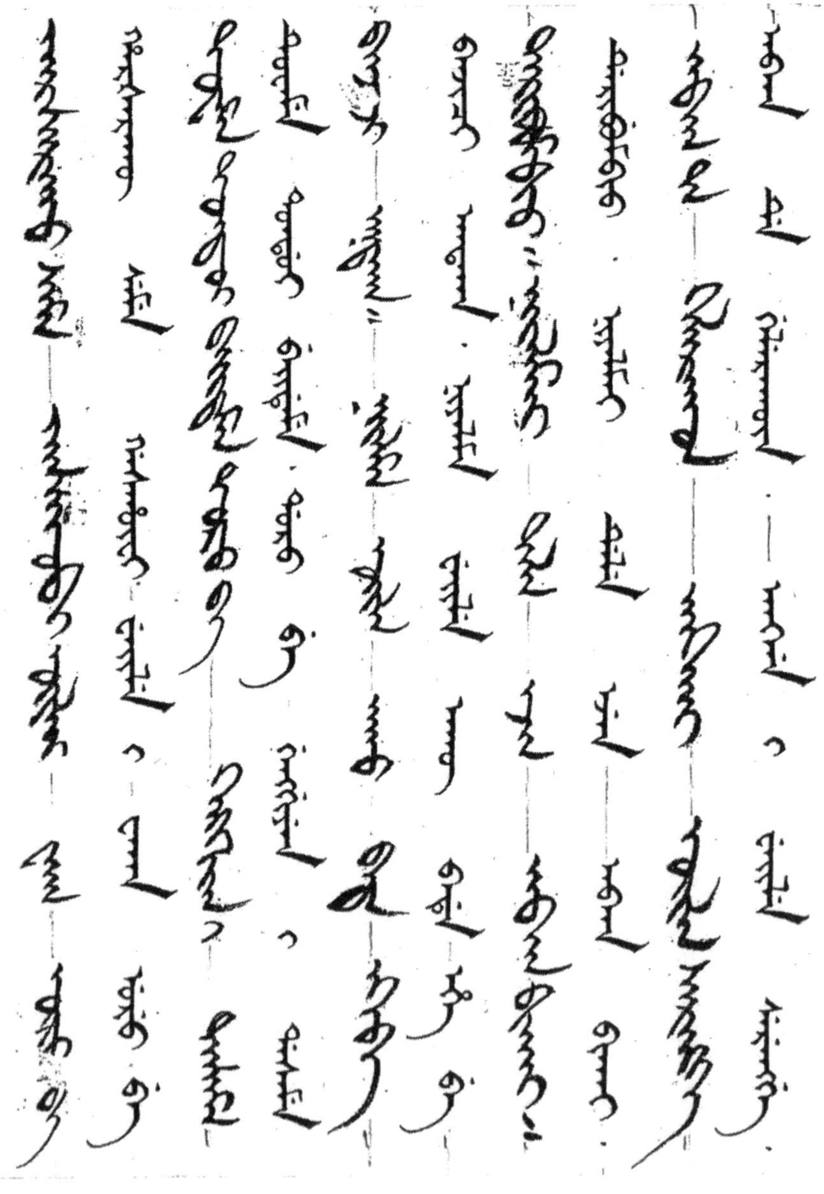

haršarakū seme gashūfi, weile i waka uru be tuwame tondoi beideme, doro be genggiyen i dasame banjici antaka. niyalma weile akū bade ehe be deribumbio. niyalmai dele ejen, abka bikai, abka de gelerakūn. angga i weile serengge,

誓不偏護，看事之是非，秉公審斷，則政道復見清明。人皆無罪，惡從何起耶？人之上有君有天也，不畏天乎？昂阿之罪，

誓不偏护，看事之是非，秉公审断，则政道复见清明。人皆无罪，恶从何起耶？人之上有君有天也，不畏天乎？昂阿之罪，

mini elcin be batangga yehe de huthufi bufi wabuha. angga
sinde koroho ba bici, si wacina, batangga niyalma de huthufi
bufi waci, gicuke wakao. jai suweni korcin de yabure elcin
be, umai dube lakcarakū jing

乃因縛我使者送給我仇敵葉赫而被殺。倘若有怨恨於爾昂
阿之處，聽爾殺之，縛送我仇敵殺之，豈非可羞乎？再者，
正不斷截殺我前往科爾沁之使者。

乃因縛我使者送給我仇敌叶赫而被杀。倘若有怨恨于尔昂
阿之处，听尔杀之，缚送我仇敌杀之，岂非可羞乎？再者，
正不断截杀我前往科尔沁之使者。

tosofi waha. yaya kooli de, waci, waha turgunde weile bumbi, gaici, gaiha jaka be toodambi. tuttu oci, weile wajire doro tere kai. angga jing wahai dele wara, gaihai dele gaici, ere ainaha seme

例載：『殺人者抵罪，奪物者賠償』，此乃結案之道也。昂阿正是殺人之上又殺，奪物之上又奪，此事絕不可

例載：『杀人者抵罪，夺物者赔偿』，此乃结案之道也。昂阿正是杀人之上又杀，夺物之上又夺，此事绝不可

# 二十九、掠奪使者

原檔殘缺

hokorakū nikai seme. angga [原檔殘缺] meni korohongge tere inu. jai sangtu i ama jongnon, mini tebuhe urgūdai hada i gašan be sucuha, mini sui be gūwa de buhe. amaga sui be bure de, nenehe jafan i

---

豁免也。昂阿[原檔殘缺]我之所怨者此也。再者，桑圖之父鍾嫩，突襲我所安置之烏爾古岱哈達之鄉屯，將我已聘[24]之人許配他人。其後嫁女時，先前於聘禮之上

---

豁免也。昂阿[原档残缺]我之所怨者此也。再者，桑图之父锺嫩，突袭我所安置之乌尔古岱哈达之乡屯，将我已聘之人许配他人。其后嫁女时，先前于聘礼之上

---

[24] 已聘，《滿文原檔》寫作"süi"，《滿文老檔》讀作"sui"。按滿文"sui"係蒙文"süi"之音譯，意即「婚約」。

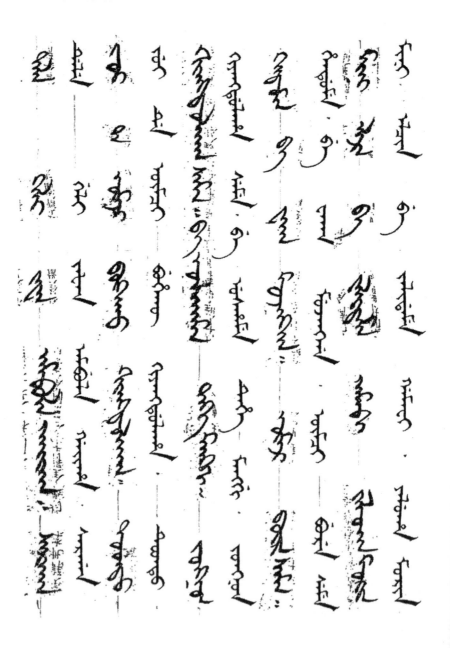

dele geli jafan ambula gaiha, sargan jui de ūmci buhekū
kiyangdulaha. tuttu kiyangdulaha seme, be ushame tehe
manggi, jongnon hendume, be waka mujangga, ūmci bure
seme mini elcin be jalidame gamafi, yaluha morin

---

又多取聘禮，且不給女兒嫁妝[25]而逞強。因其逞強，以致
我等惱怒，鍾嫩竟稱我等有過失屬實，以送給嫁妝而誘騙
我使者，

---

又多取聘礼，且不给女儿嫁妆而逞强。因其逞强，以致我
等恼怒，锺嫩竟称我等有过失属实，以送给嫁妆而诱骗我
使者，

---

[25] 嫁妝，《滿文原檔》寫作 "ümji"，《滿文老檔》讀作 "ūmci"。按
　　滿文 "ūmci"係蒙文"ömči"之借詞，意即「財產」；嫁妝，規範滿
　　文讀作"atuhūn"。

gamaha ulin be gemu gaifi genehe, elcin untuhun bošofi unggihe. jai juwe jergi elcin be gaihangge, emgeri daya de genehe elcin be tosofi etuhe etuku gajire ulha be gemu gaifi, niohušun bošofi

---

奪其乘騎馬匹，將其財物皆掠奪而去，將使者隻身逐回。又曾二次掠奪使者，一次攔截前往達雅之使者，掠取其所穿衣服，牲畜皆掠去，將使者光身[26]逐回；

---

夺其乘骑马匹，将其财物皆掠夺而去，将使者只身逐回。又曾二次掠夺使者，一次拦截前往达雅之使者，掠取其所穿衣服，牲畜皆掠去，将使者光身逐回；，

---

[26] 光身，《滿文原檔》寫作"nikesion"，《滿文老檔》讀作"niohušun"，意即「赤裸的」。

unggihe, jai bak de genehe elcin be tosofi niyalma waha,
ulha be gemu gaiha. sangtu i beye de weile akū mujangga,
jongnon i araha weile kai. niyalmai weile ninggun biyade
niyambio. jorgon biyade gecembio. sangtu i

---

二次乃攔截前往巴克之使者，殺了人，牲畜皆掠去。桑圖
本人無罪屬實，乃鍾嫩所為之罪也。人之罪六月腐朽乎？
十二月霜凍乎？

---

二次乃拦截前往巴克之使者，杀了人，牲畜皆掠去。桑图
本人无罪属实，乃锺嫩所为之罪也。人之罪六月腐朽乎？
十二月霜冻乎？

原檔殘缺

原檔殘缺

ama i araha weile be we wacihiyahabi. niyalmai weile niyarakū serengge tere kai. jai hūbiltu, ineku elcin be wafi gamara ulin be gemu gaiha. tuttu ofi, sangtu [原檔殘缺].[原檔殘缺] alaha manggi,

---

桑圖之父所犯之罪，誰來完結之。所謂人之罪不腐朽者此也。再者，胡畢勒圖同樣殺使者，將其所攜財物皆掠去。因此，桑圖[原檔殘缺]。」[原檔殘缺]稟告後，

---

桑图之父所犯之罪，谁来完结之。所谓人之罪不腐朽者此也。再者，胡毕勒图同样杀使者，将其所携财物皆掠去。因此，桑图[原档残缺]。」[原档残缺]禀告后，

# 三十、散發食鹽

tuttu oci, jetere dabsun be geren alban i niyalma be ume dabure, du tang, dzung bing guwan, fujiyang, ts'anjiyang, iogi, beiguwan i bodome, nadan tanggū ninggun beiguwan de, emte tanggū gin dabsun be salame bufi, emu gūsai

---

倘若如此，則其食鹽勿計眾官差之人內，計都堂、總兵官、副將、參將、遊擊、備禦官在內，七百零六名備禦官，散給鹽各一百斤，

---

倘若如此，則其食盐勿计众官差之人内，计都堂、总兵官、副将、参将、游击、备御官在内，七百零六名备御官，散给盐各一百斤，

emte beiguwan be gaifi šajin ts'anjiyang benehe. tariha jeku fangkala yangsame tutaci, beiguwan i bodome emu nirui jušen sunja, nikan sunja, nikan i emu beiguwan juwanta niyalma be, emu gūsai emte fujiyang, emte iogi be,

---

已由沙津參將率每旗備禦官各一名解送。倘若所種穀物矮小，需留人耘耨，則以備禦官計，一牛彔諸申五名、漢人五名，漢人一備禦官各十名，每旗副將各一名，遊擊各一名，

---

已由沙津參将率每旗备御官各一名解送。倘若所种谷物矮小，需留人耘耨，則以备御官計，一牛彔诸申五名、汉人五名，汉人一备御官各十名，每旗副将各一名，游击各一名，

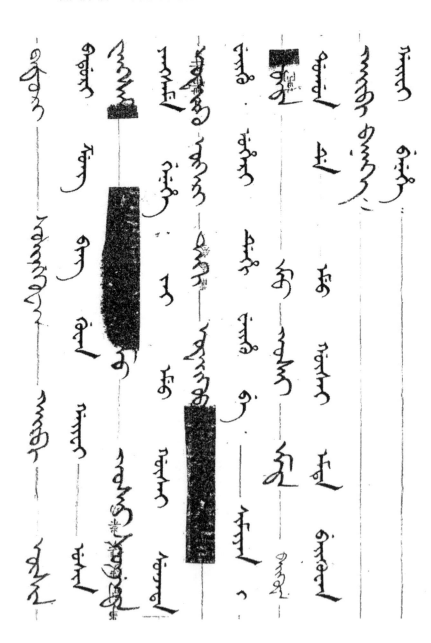

baduri dzung bing guwan gaifi usin yangsame genehe. jai
emu gūsai sunjata weihu, uheri dehi weihu be, simiyan i
dogon de emu gūsai emte beiguwan gaifi benehe.

由巴都裏總兵官率領，前往田地耘草。再者，每旗獨木船
各五隻，合計獨木船四十隻，由每旗備禦官各一名率領解
送至瀋陽渡口。

由巴都里总兵官率领，前往田地耘草。再者，每旗独木船
各五只，合计独木船四十只，由每旗备御官各一名率领解
送至沈阳渡口。

# 三十一、明辨是非

ineku tere inenggi, nio juwang ni šeo pu lii ši gung beye bucehe seme, deo lii hiong be funde šeo pu obuha. kundulen genggiyen han de, daya taiji bithe unggihe, han, mende henduhe bihe, tubaci ubade jidere ukanju be

是日，牛莊守堡李世功身亡，令其弟李雄代為守堡。達雅台吉致書於恭敬英明汗曰：「汗曾諭我等，凡由彼處來此處之逃人，

是日，牛庄守堡李世功身亡，令其弟李雄代为守堡。达雅台吉致书于恭敬英明汗曰：「汗曾谕我等，凡由彼处来此处之逃人，

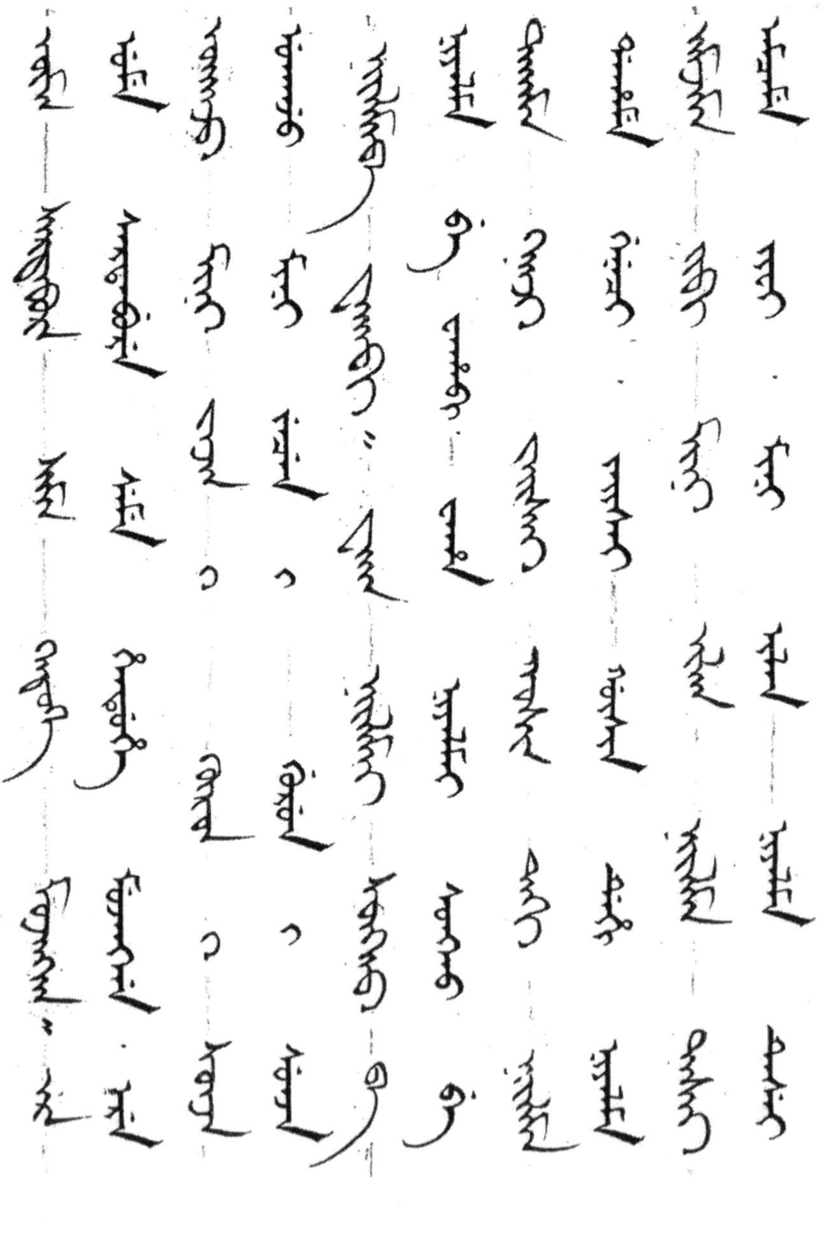

ume sartabure seme henduhe mujangga. ere ukanju mini
jecen i gurun i sunja niyalma be wahabi, waha niyalmai
songko be dahame geneci. jaisai gūsin dehi niyalma amcame
jifi, mini ilan niyalma tesei

勿耽誤，所言甚是。此逃人殺我邊國人五名，遂躡殺人者
之蹤跡前往。齋賽之三、四十人追來，我之三人

勿耽误，所言甚是。此逃人杀我边国人五名，遂蹑杀人者
之踪迹前往。斋赛之三、四十人追来，我之三人

emgi yabuhabi, mini gisun i yabuhangge waka. cashūn foroho niyalma tondo be gisurerakū sere. ukanju i gisun de akdafi, jui be akdun akū araci, amai gese han genggiyen de sa, jaisai niyalmai emgi

與彼等同行，非以我之言行之。常言道：『背逆之人不言忠直。』若信逃人之言，而不信其子，則望如父之汗明鑒。

与彼等同行，非以我之言行之。常言道：『背逆之人不言忠直。』若信逃人之言，而不信其子，则望如父之汗明鉴。

mini ilan niyalma daci amcaha seci, ai kooli be han sarkū. tere ilan niyalma de aika isika bici, bi gaifi bure. han de nangnuk i elcin emu ihan gajime jihe bihe, tede ajige mocin sunja,

---

若謂當初我之三人與齋賽之人追之，何故汗不知？倘若該三人確有所涉，我必拏送。囊努克之使者牽牛一頭來汗處，賜彼小毛青布五疋、

---

若谓当初我之三人与斋赛之人追之，何故汗不知？倘若该三人确有所涉，我必拏送。囊努克之使者牵牛一头来汗处，赐彼小毛青布五疋、

# 三十二、厚賞降人

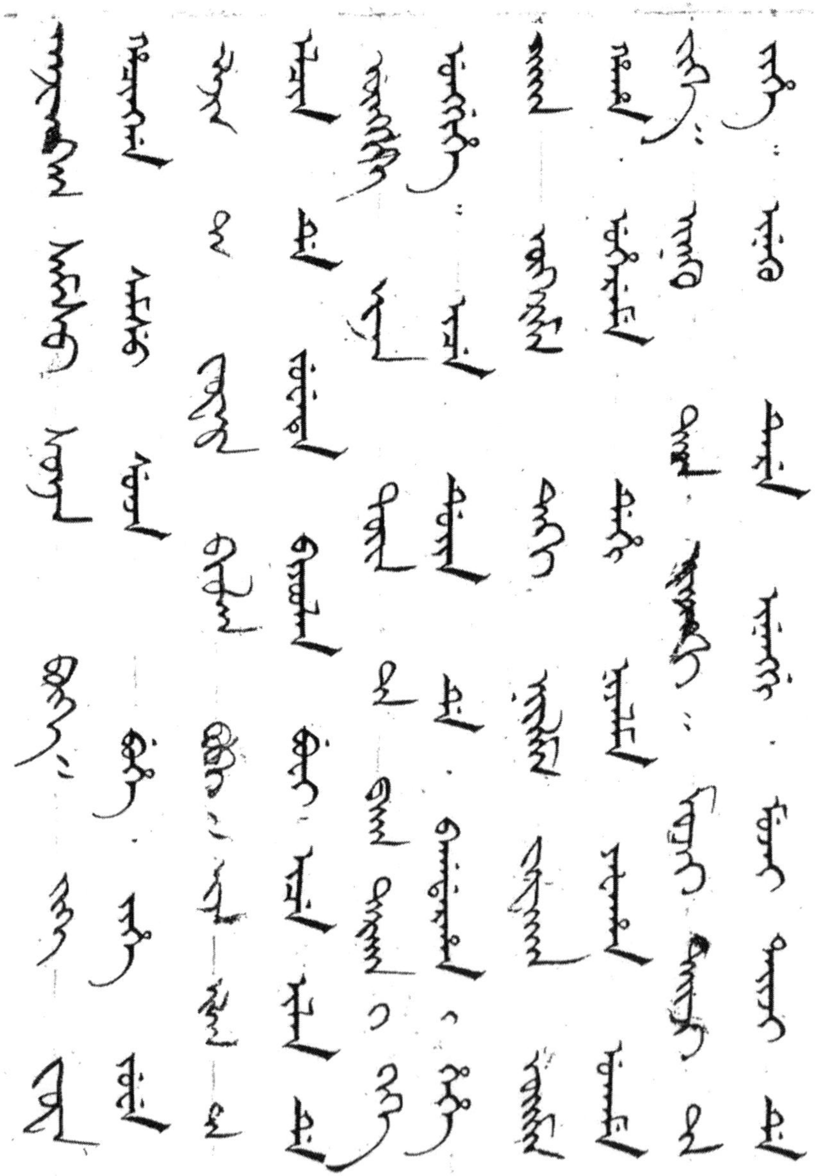

hacingga samsu sunja buhe, jihe juwe elcin de juwete biyoolan bufi, ice ilan de unggihe. ice duin de, bagadarhan i hehe haha, uhereme dehi niyalma yafahan ukame jihe. ineku tere inenggi, mujai taiji de

各種翠藍布五疋，同來之使者二人賜標藍各二疋。於初三日遣回。初四日，巴噶達爾漢之男女共四十人徒步逃來。是日，賜穆齋台吉

各种翠蓝布五疋，同来之使者二人赐标蓝各二疋。于初三日遣回。初四日，巴噶达尔汉之男女共四十人徒步逃来。是日，赐穆斋台吉

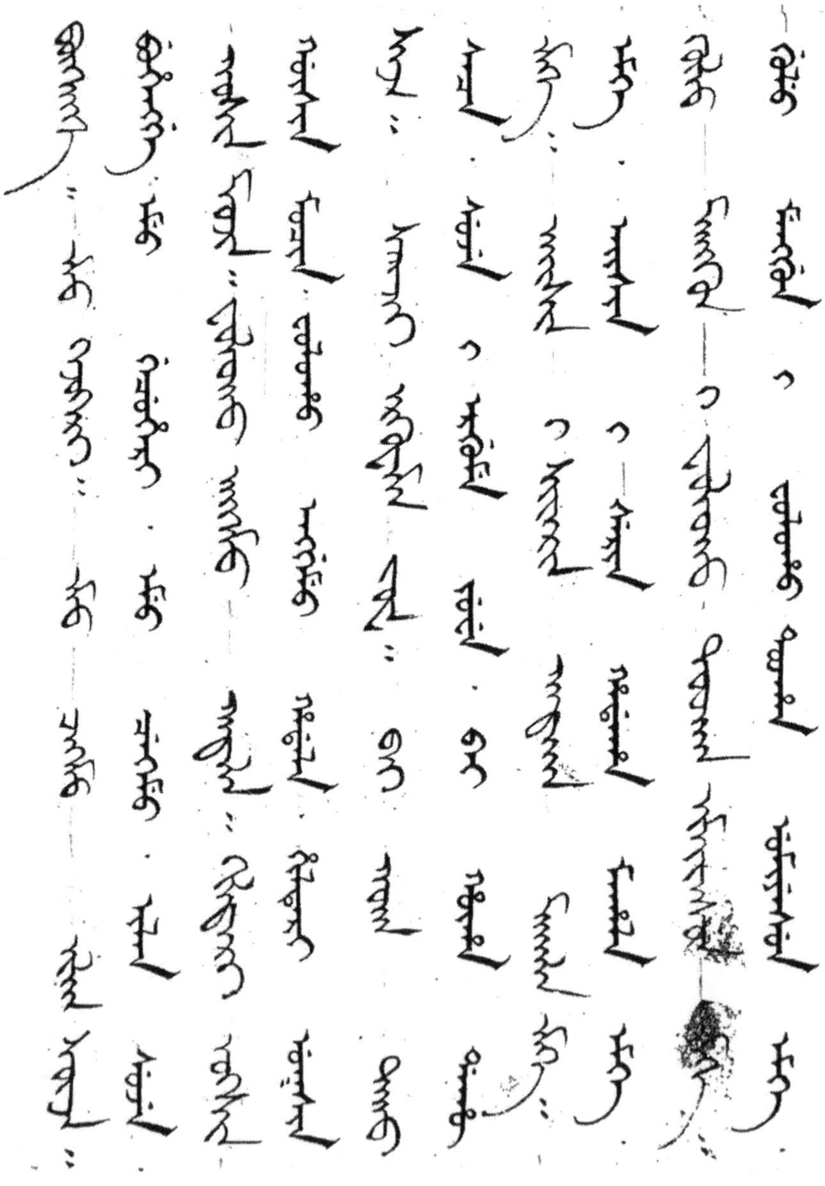

buhengge, emu gecuheri, emu cekemu, ilan suje, gūsin mocin, foloho enggemu hadala, hilteri uksin saca, suje i ergume juwe, bai hūha dahū emke, aisin i šerin hadaha mahala emke, gulu menggun i foloho toohan umiyesun emke,

---

蟒緞一疋、倭緞一疋、緞三疋、毛青布三十疋。雕刻鞍彎、明葉盔甲、緞朝衣[27]二件、普通綿索子皮端罩一件、釘金佛帽[28]一頂、純銀雕刻帶板腰帶一條、

---

蟒缎一疋、倭缎一疋、缎三疋、毛青布三十疋。雕刻鞍辔、明叶盔甲、缎朝衣二件、普通绵索子皮端罩一件、钉金佛帽一顶、纯银雕刻带板腰带一条、

---

[27] 朝衣，《滿文原檔》寫作"erkuwa(e)ma(e)"，《滿文老檔》讀作"ergume"。

[28] 釘金佛帽，句中「金佛」，《滿文原檔》寫作"sija(ye)rin"，《滿文老檔》讀作"šerin"，意即「金佛頭」。

gūlha emu juru, menggun i moro emke, niruha guise duin,
mafa de unggihengge, acinggiyame foloho enggemu hadala,
suwayan hūha suje de hadaha hilteri uksin saca, sekei
hayahan hūha jibca emke, suje i ojin, teleri unggihe.

---

靴一雙、銀碗一個、畫櫃四個。並賜其祖父搖動雕刻鞍彎、
黃綿索子緞釘明葉盔甲、貂鑲披領綿索皮襖一件、緞女朝
褂、女朝衣送去。

---

靴一双、银碗一个、画柜四个。并赐其祖父摇动雕刻鞍辔、
黄绵索子缎钉明叶盔甲、貂镶披领绵索皮袄一件、缎女朝
褂、女朝衣送去。

han, fujisa, sunja ba i dubede fudeme genefi, orin sunja dere, juwe ihan, juwe honin wafi sarin sarilafi, mujai taiji be, geneci yamjiha seme, amasi dung ging hecen de gajifi dedubuhe. jai cimari deheme

汗及眾福晉送至五里外，設席二十五桌，宰牛二頭、羊二隻設筵宴之。因天色已晚，遂攜穆齋台吉返回東京城歇宿。翌日晨，

汗及众福晋送至五里外，设席二十五桌，宰牛二头、羊二只设筵宴之。因天色已晚，遂携穆斋台吉返回东京城歇宿。翌日晨，

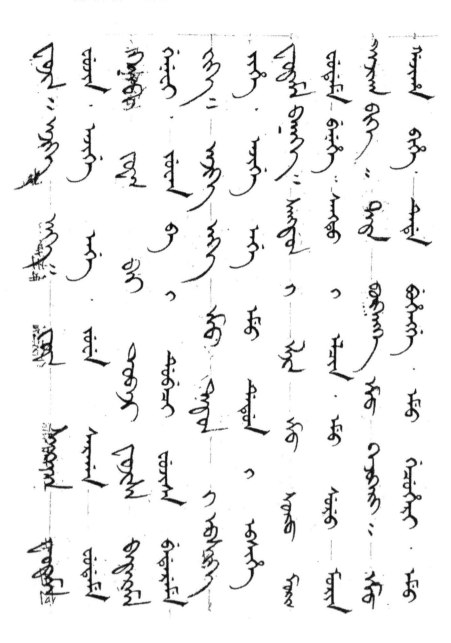

fujin, ajige age, juwe sargan fudeme genefi, juwan ba i dubeci fujisa bedereme jihe, ajige age emu dedun i ebsihe fudeme benehe. sangtu i elcin, emu suru morin gajiha bihe. tede buhengge, emu gecuheri, emu

姨娘福晉、阿濟格阿哥及二妻送至十里外後，眾福晉返回，阿濟格阿哥在返回之前又送一日之程。桑圖之使者牽一白馬前來，賜其蟒緞一疋、

姨娘福晋、阿济格阿哥及二妻送至十里外后，众福晋返回，阿济格阿哥在返回之前又送一日之程。桑图之使者牵一白马前来，赐其蟒缎一疋、

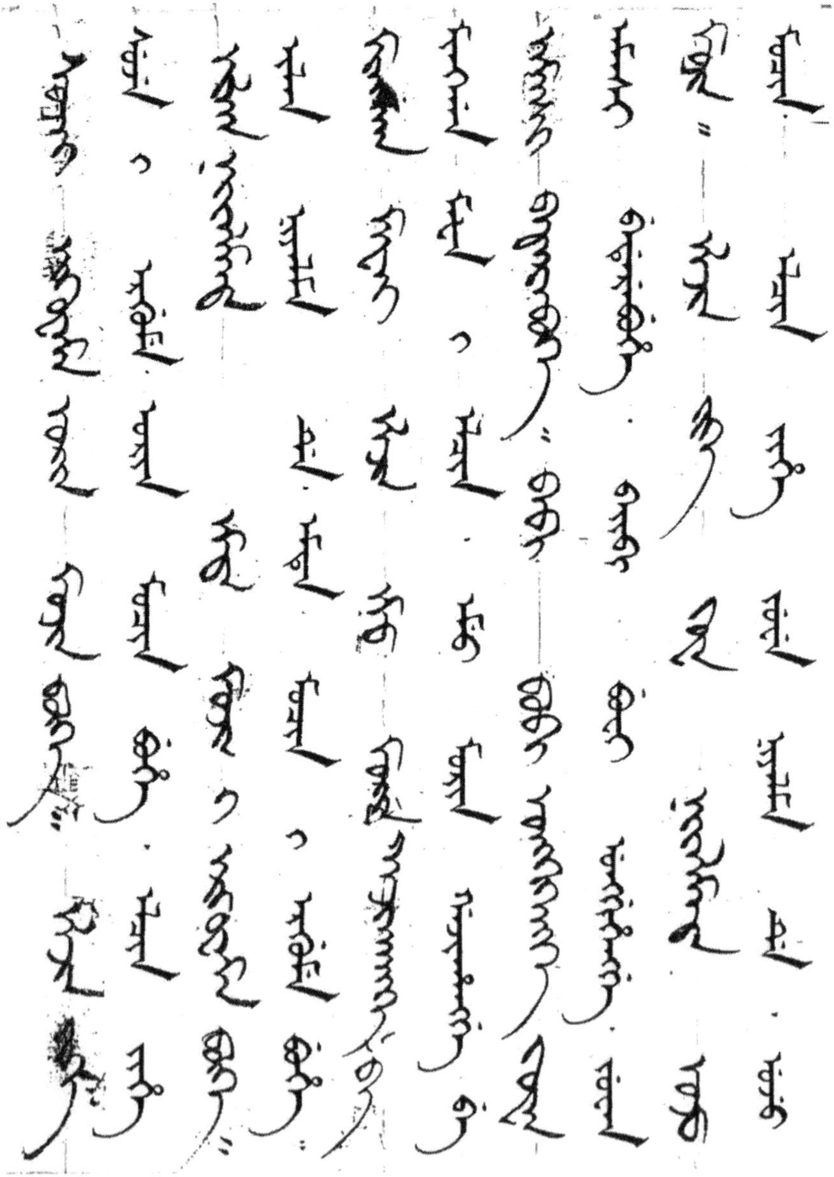

suje i ergume, orin mocin buhe, elcin jihe ilan niyalma de, emte mocin i ergume buhe. minggan mafa i elcin, emu morin gajihangge be amasi bederebuhe, baibi bufi unggihengge, juwan mocin, elcin jihe juwe niyalma de, uju

緞朝衣、毛青布二十疋，隨使者前來三人賜毛青布朝衣各一件。明安老叟之使者，攜馬一匹前來，令其帶回，並平白賜毛青布十疋，隨使者前來之二人，

緞朝衣、毛青布二十疋，随使者前来三人賜毛青布朝衣各一件。明安老叟之使者，携馬一匹前来，令其帶回，并平白賜毛青布十疋，随使者前来之二人，

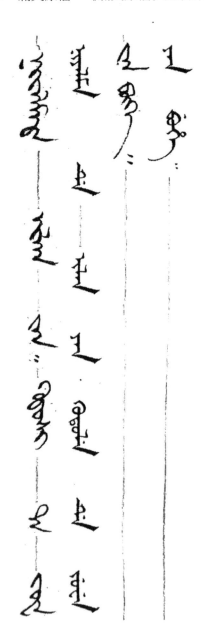

niyalma de ilan yan, kutule de juwe yan buhe.

賜為首之人銀三兩，跟役銀二兩。

賜为首之人银三两，跟役银二两。

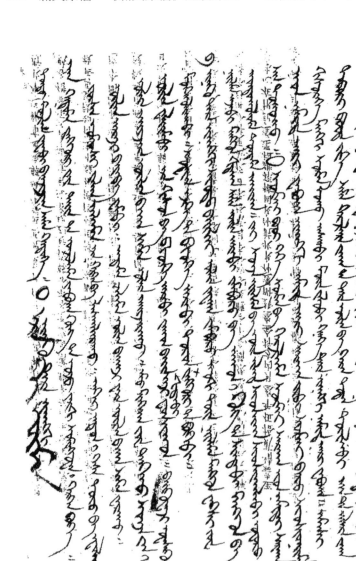

滿文原檔之一

滿文原檔之二

滿文原檔之三

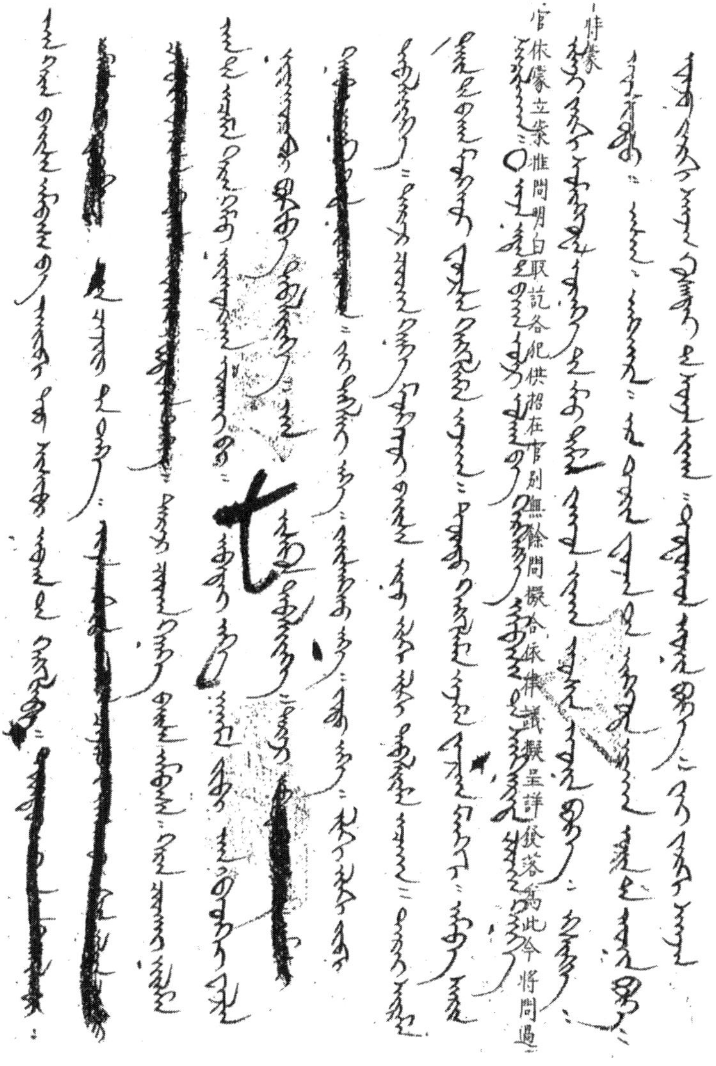
特緣
官依緣立案推問明白取訖各犯供招在官別無餘問擬合依律議擬呈詳發落為此今將問過

滿文原檔之四

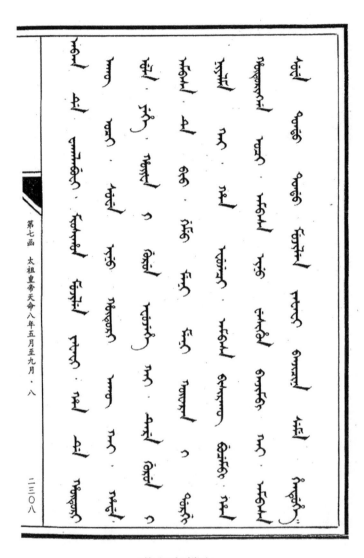

滿文老檔之一

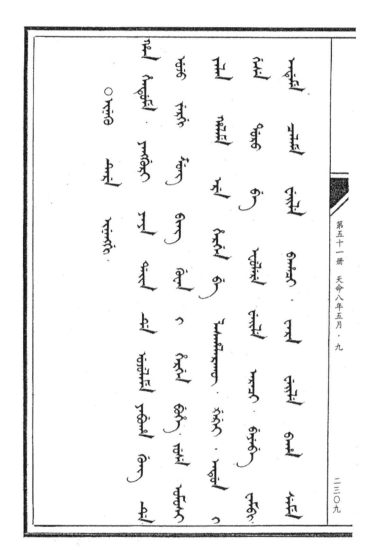

第五十一冊　天命八年五月‧九

滿文老檔之二

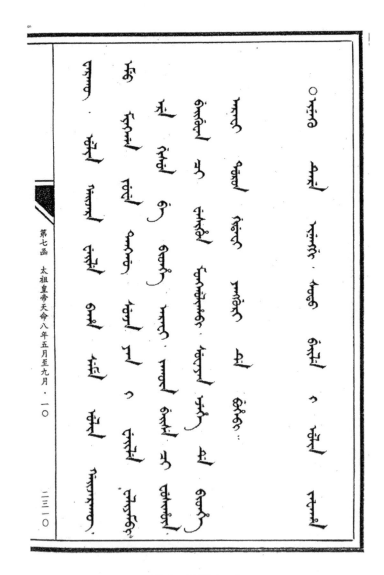

滿文老檔之三

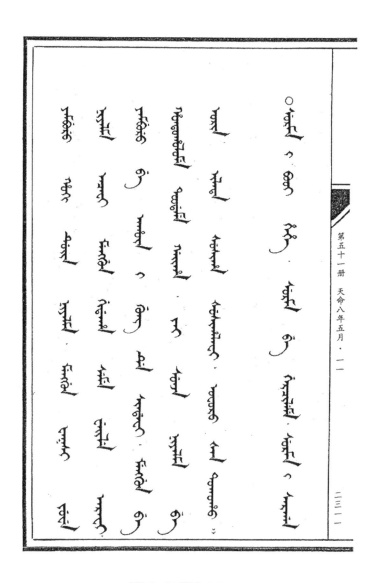

滿文老檔之四

# 致　謝

本書滿文羅馬拼音及漢文，由原任駐臺北韓國代表部連寬志先生精心協助注釋與校勘。謹此致謝。